内藤正典
Masanori Naito

イスラームからヨーロッパをみる

——社会の深層で何が起きているのか

岩波新書
1839

JN032317

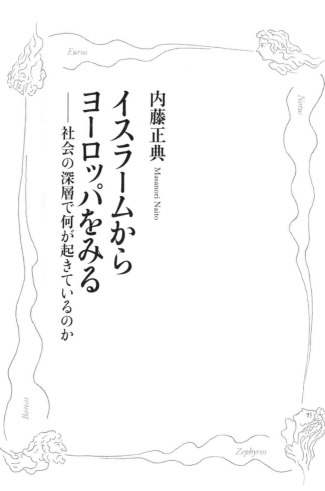

はじめに

前著『ヨーロッパとイスラーム――共生は可能か』の刊行は二〇〇四年であった。その後、ヨーロッパとイスラームとの関係は悪化の一途をたどり、極論すれば、共生の方向に進んだと確信できるようなことは、なに一つ起きなかったと言ってもいいだろう。とりわけ、二〇一五〜二〇年にかけて、中東での内戦や戦争の結果、難民の奔流《ほんりゅう》がヨーロッパに向かったことで、ヨーロッパとイスラームとの共生は不可能な状況に陥っている。

ヨーロッパに限らず、アメリカでもドナルド・トランプ政権が誕生したことで、ムスリム(イスラーム教徒)との関係は、かなり厳しいものになった。この本では深く立ち入らないが、それまで、アメリカでのムスリムとの共存は、ヨーロッパよりもうまくいっていた。あくまで相対的な話だが、ヨーロッパに比べて、原理的、組織的な差別と疎外がおこなわれることはなかったということである。

その背景の一つには、アメリカ合衆国が移民から成り立つ国家であるため、国家を構成する

「国民」の定義に、「民族」や「血統」のようなものを持ち出さなかったことがある。ネイティブ・アメリカンは、白人入植者によって迫害される立場だったから、ネイティブこそ国民であるという定義は、そもそもアメリカのような移民国家には使えない。

もう一つは、社会におけるキリスト教の強い影響力にもかかわらず、合衆国憲法の修正第一条は「国家の教会」をもつことを認めず、それゆえ、キリスト教国家を正面から主張する根拠をもたなかった。宗教の多様性を受容することは、アメリカ合衆国という国家の形の基礎をなしていたのである。だがトランプ政権の誕生で、このアメリカの原点というべき多様性の前提が崩れ始めた。

他方、ヨーロッパ諸国というのは、イギリス、アイルランド、キプロス、マルタなどを除くと大半が大陸にあり、陸地の上に国境を線引きすることで独立した国を成している。そのため、国境線の内側に暮らす人間には、何らかの国民としての定義が必要だった。いわば原国民（ネイティブ）というべき人の属性を国家成立のときに定めなければならなかった。そこには、民族や建国の理念、そして宗教的な背景までが色濃く残っている。

だが、二〇世紀後半になって、国境を越える人の移動が活発となるにつれて、本来の国民ではない「異質な存在」を国内に抱え込むことになった。ここで取り上げるヨーロッパのイスラーム問題というのは、ヨーロッパにとっては「異質」なムスリムが、ヨーロッパ各国に定住していく過程で顕在化したのである。

それに加えて、ヨーロッパ諸国には、宗教と国家との関係について、「世俗主義」というきわめて強い思想潮流があることが、ムスリムとの共存を困難にした。簡単にいえば、国家の公的な領域に宗教は介入してはならないという思想であり、原則である。

それに対して、イスラームという宗教の本質には、世俗主義というものを受け入れる余地がない。人間社会のある領域には、神の手が及ばないという「俗」と「聖」をわける考え方がないのである。

そうはいうものの、一九世紀以来、ムスリムの側は西欧に生まれた世俗主義と折り合いをつけていこうとした。二〇世紀になって、西欧列強の植民地や委任統治領だった多くのイスラーム地域が独立してからも、イスラームにもとづいた統治はできなかった。程度の差こそあれ、西欧近代国家を模倣して、世俗主義(政教分離)を受け入れざるをえなかったのである。

だが、一九八〇年代から、世界のムスリムには、だんだんと世俗主義から距離を置く人びとが増えていった。世俗主義を拒絶するムスリムの運動も、世界各地で勢いを増した。中東・イスラーム世界でのイスラーム復興運動の潮流である。この運動は少し遅れて、ヨーロッパに渡ったムスリム移民たちのあいだにも広がっていった。

この本では、前著とはやや視点を変えて、イスラーム世界の側で起きたことがヨーロッパに引き起こした反応に焦点を当てることにする。イスラームというものの異質性をヨーロッパのなかにとらえるのではなく、両者の相関的関係のなかに、共生が破綻に向かうプロセスを描きだそうという試みである。

目　次

目　次

目　次

本文イラスト＝藤原ヒロコ

序章　ヨーロッパのムスリム世界

ヨーロッパに暮らすムスリム

ヨーロッパ社会によるイスラームへの無理解は、近年、敵意に変わった。ヨーロッパ社会は、過去半世紀以上にわたって共に暮らしてきた隣人であるムスリム移民に、その敵意を向けるようになったのである。

二〇一七年の春、ベルリンにあるイスラーム組織の一人は、私にこう語った。

「一〇年ほど前まで、ドイツ人たちは、ムスリムには『良いムスリム』と『悪いムスリム』がいると言っていた。『悪いムスリム』というのは、言うまでもなくテロリストのことだ。だが、今や、ムスリムと言えば、すなわち悪い人間を意味するようになってしまったから、対話の糸口さえ見いだせない」（ベルリン、イスラーム連盟のブルハン・ケシジ）。

ムスリムの人口が多すぎるのか？　それともムスリムによるテロが相次いだことが原因なのか？　あるいは、ヨーロッパ社会の側がムスリムを誤認し続けた果てに敵視するようになったのか？

これらの問いに答えていく前に、まず、いったいどれくらいのムスリムがヨーロッパ諸国に暮らしているのか、どこに暮らしているのかをみておきたい。

国ごとに正確な宗教別統計がそろっているわけではないので、アメリカのピュー・リサーチセンターのＥＵ（欧州連合）諸国のデータ（二〇一六年当時）を紹介する（図序-1）。ただし、この統計も、二〇一五年のヨーロッパ難民危機によって、多くのシリア人やイラク人がヨーロッパに殺到したことを反映していないので、実際にはもっと増えていると考えたほうがよいだろう。

大雑把にいって、ドイツに五〇〇万人、フランスにも五〇〇万人、イギリスには三〇〇万人、イタリアにも二五〇万人ぐらいのムスリムがいる。率でいうと、だいたい五％前後なのだが、ムスリムはおもに都市部に住んでいるから、大都市での比率はかなり高くなる。私たちが旅行でロンドン、パリ、ベルリンやアムステルダムを訪ねても、ここはいったいどこの国なのだろうという印象をもつことさえある。

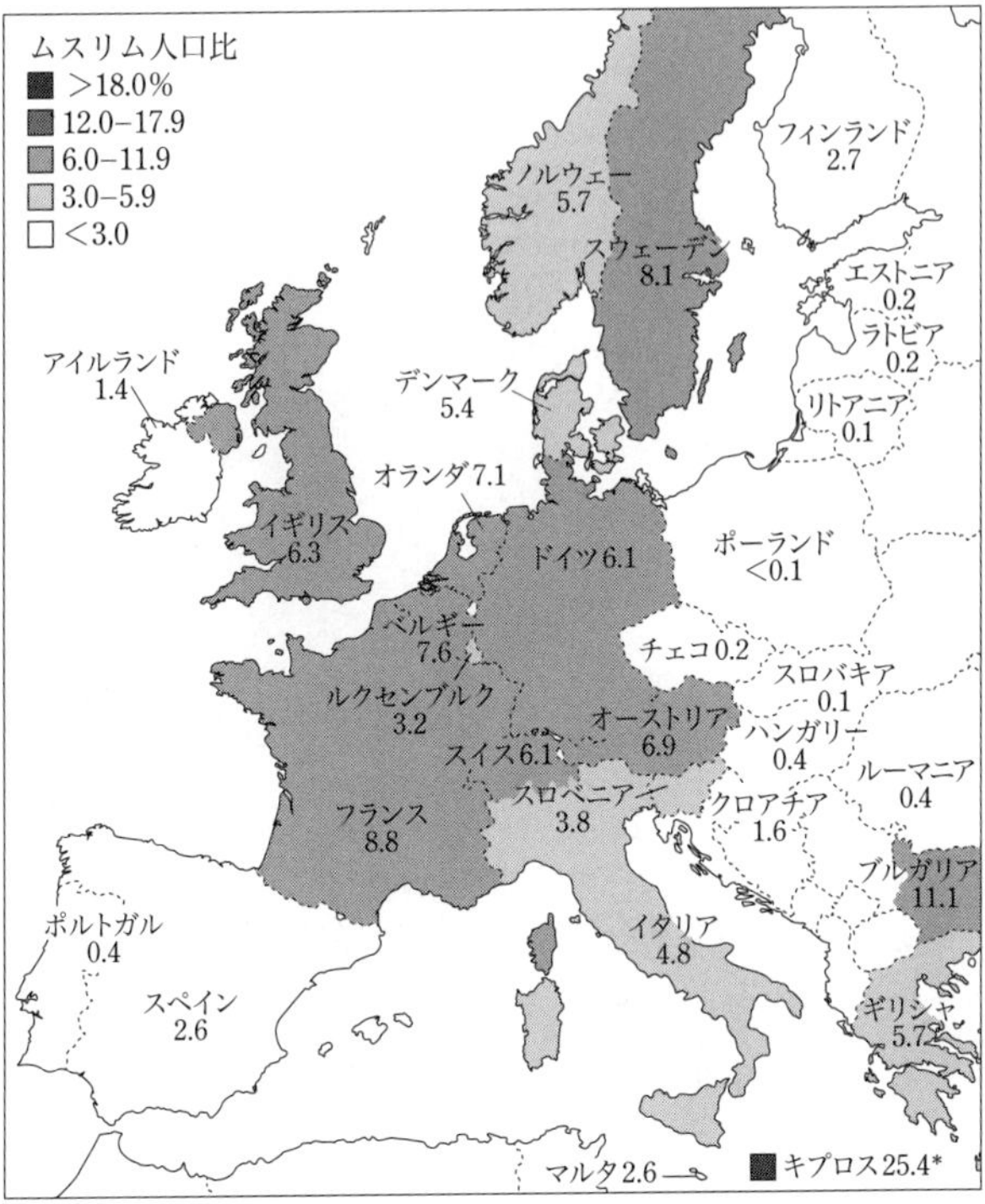

*キプロス島は図の外だが，島全体に占める割合
出典：Pew Research Center の EU 諸国のデータ（2016 年当時）.

図序-1　ヨーロッパのムスリム人口比率

きれいに改装されたクロイツベルクのトルコ料理店．店内の写真は，40年にわたるこの店の歴史を写したもの(2015年，著者撮影)．

ベルリン、クロイツベルクの変化

だが、多くの移民たちが暮らす街の様子は、少しずつ変化している。二〇一五年、ベルリンのクロイツベルクを訪れたとき、私はその変化に驚いた。クロイツベルクという地区は、一〇年ほど前までトルコ人街として知られていた。コトブサ・トアという地下鉄の駅を降りると、あたりにはトルコ語の看板があふれ、いたるところにトルコ料理のドネルケバブを食べさせる店、トルコの食材を売る店が並んでいた。歩いていてもドイツ語はほとんど聞こえず、トルコ語の飛び交う街であった。街の雰囲気はすさんでいて暗かった。

そこには中庭を囲む造りの建物が多く、一階部分は小さな工房やアトリエになっていて、上階には移民たちが暮らしていた。住民にもドイツ人は少なかった。上階の窓からは、子どもや女性が顔を出して小さな中庭を眺めていることがよくあった。

その街が、こぎれいな街区に変わっていた。古くからあった庶民的なトルコ料理店は洒落たトルコ風のカフェに変わっていた。店頭でドネルケバブを焼き、ひっきりなしに近所に住む労働者たちがやってきて注文が飛びかうという喧騒《けんそう》はもはやなかった。

オーガニックの素材を使ったカフェや新進デザイナーの服を売るブティックができた反面、トルコ人の食料品店やドネルケバブのインビス（ファストフード店）はほとんどなくなっていた。トルコ人街の〝におい〟が消えていたのである。

クロイツベルクの公共住宅．かつて多数のトルコ人が住んでいた(2015年，著者撮影)．

出会った人に尋ねると、ここはもうトルコ人街のクロイツベルクではないという。もちろん、まだその残り香はあるものの、異文化の香りを楽しむ若い夫婦やアーティスト、環境問題に敏感な住民たちが増えたのだという。かつては、どの建物も壁の色がくすんでいたから暗い印象だったのだが、すでに明るいクリーム色などに塗り替えられていた。

シリアなど多様なアラブの人たちの街

二年後、隣接するノイケルン区のヘルマンプラッツを訪ねて、私は再び驚いた。中東風の移民街の姿はここに残っていた。懐かしさを感じたものの、道行く人びとの話している言葉はトルコ語ではなかった。シリアやイラクで使われるアラビア語だったのである。

　同行したパレスチナ人の助手の表情が急に明るくなった。パレスチナの人たちの母語もアラビア語で、それはシリアの話し言葉に近いものだったからである。

ヘルマンプラッツにある，アラビア語で書かれたスーパーマーケット(2017年，著者撮影).

　シリア人のやっているカフェを訪れた。働いている人はイラク、シリア、エジプトなど、さまざまなアラブ諸国からの難民と移民だった。客の多くはシリアからの難民だったが、楽しげに会話をする人はなく、みな、ぼそぼそと小声で話しながらスマートフォンを操作している。飲んでいるのは紅茶か、粉ごと熱湯にまぜて出すコーヒーだった。

　ヘルマンプラッツのあたりも、かつてはトルコ料理のドネルケバブのインビスが並んでいたが、いまではシリア料理店のほうが多い。スーパーマーケットも、かつてはトルコ語で屋号を書いた店が多かったのだが、いまや写真にあるようにアラビア語である。この店の名前はアル・ディマシュキー（ダマスカスの人）とあるから、難民が始めたのだろう。

ここで一つ、日本に暮らす私たちが誤解しやすいことに触れておきたい。難民というと、打ちひしがれて、難民キャンプに収容され、行く末を案じながら暮らしている人を想像しがちである。だがシリア人は特にそうなのだが、驚くほど自立心に富んでいる。彼らは、ドイツが安住の地であるからめざしたのだが、それは政府の保護だけをあてにしてのことではない。ドイツが、ヨーロッパのなかでも経済が好調で、仕事があることを知っていた。でも、それだけではない。好景気を利用して、すぐにでも商売を始めようという意欲にあふれた難民も多かったのである。シリア人は、中東のなかでも、レバノン人と並んで商業の民として知られる。およそ世界のどこへ行っても、即座に商売を始めるだけのノウハウと気概《きがい》をもつ人たちなのである。

移民の街、パリ

パリもまた、多くの移民であふれている。多くの移民が暮らしている地区は、パリの郊外だが、買い物に便利な地区は市内の北駅から東駅にかけての一帯にひろがっている。

パリの西から南にかけては裕福な人びとが住み、東から北にかけては所得の低い層の人びとが多い。移民が暮らしてきた郊外というのは、後者の地域である。

二〇〇五年には、クリシー・スー・ボワなどで、若者たちと警察とが衝突し、車を燃やすなどの暴動が起きた。パリ市内からシャルル・ド・ゴール空港に向かう郊外電車が通るところなのだが、空港まで直通の電車に乗るならこのあたりには停まらない。だが、各駅停車に乗ると郊外の街に一つ一つ停まっていくことになる。

二〇〇五年の暴動の直後、この地域は、なかなか厳しい空気だった。人気のない駅を降りるなり数人の少年たちに鞄を奪われそうになったし、所得の低い人びとのための公共住宅群に近づくと、どこからかはわからなかったが、石が飛んでくることもあった。他所から来る人間に対して、強い不信感をもっていたことは確かである。

しかし二〇一五年に、この地域を歩いたとき、一〇年前の印象は変わった。ベルリンと同じようにパリでも、ある地域に移民が集中して犯罪が多発することを行政当局が問題にすると、一応、そういう地域をきれいにするための都市計画が始まる。一応と書いたのは、見違えるほどきれいになるというのではないにせよ、すさんだ雰囲気の大規模住宅から、もう少し低層で、互いに住民の顔がみえるような集合住宅につくりかえたところがいくつかあったからである。

クリシー・スー・ボワも、きれいになったという印象だったのだが、あいかわらず警察と住民の若者との関係は緊張していた。

私が訪れた二〇一五年の春も、通行中の車がいきなり覆面パトカーに停められ、なかにいた人たちがひきずり降ろされると、車に手をつかせて所持品を調べるという、なかなか荒っぽい場面に遭遇した。一緒にいたトルコ人によると、街はきれいになってきたが、麻薬取引の捜査やテロ関係の捜査で、住民をいきなり拘束することは、よくあるとのことであった。

ただし私が訪問したのは、その年の一一月に起きたパリの同時多発テロ事件よりも前だった。その後、非常事態宣言が出されたことで、再び、警察との関係は緊張が続いている。

東ヨーロッパのムスリム

先ほどの図序-1は、EU加盟国でのムスリムの比率を表す数字である。ヨーロッパに多くの難民が来る前の周辺諸国の状況を、同じピュー・リサーチセンターの二〇一〇年の推計でみてみたい(Pew Research Center, 27 Jan., Muslim Population by Country)。

コソボでは、ムスリムの比率が九二%、アルバニアは八二%、ボスニア・ヘルツェゴビナ四二%、マケドニア三四%(マケドニアについてはトルコのNGO、İHH人道支援財団、二〇一四年による)、モンテネグロ一九%、というように、ムスリムの比率が高い国が並んでいる(図序-2参

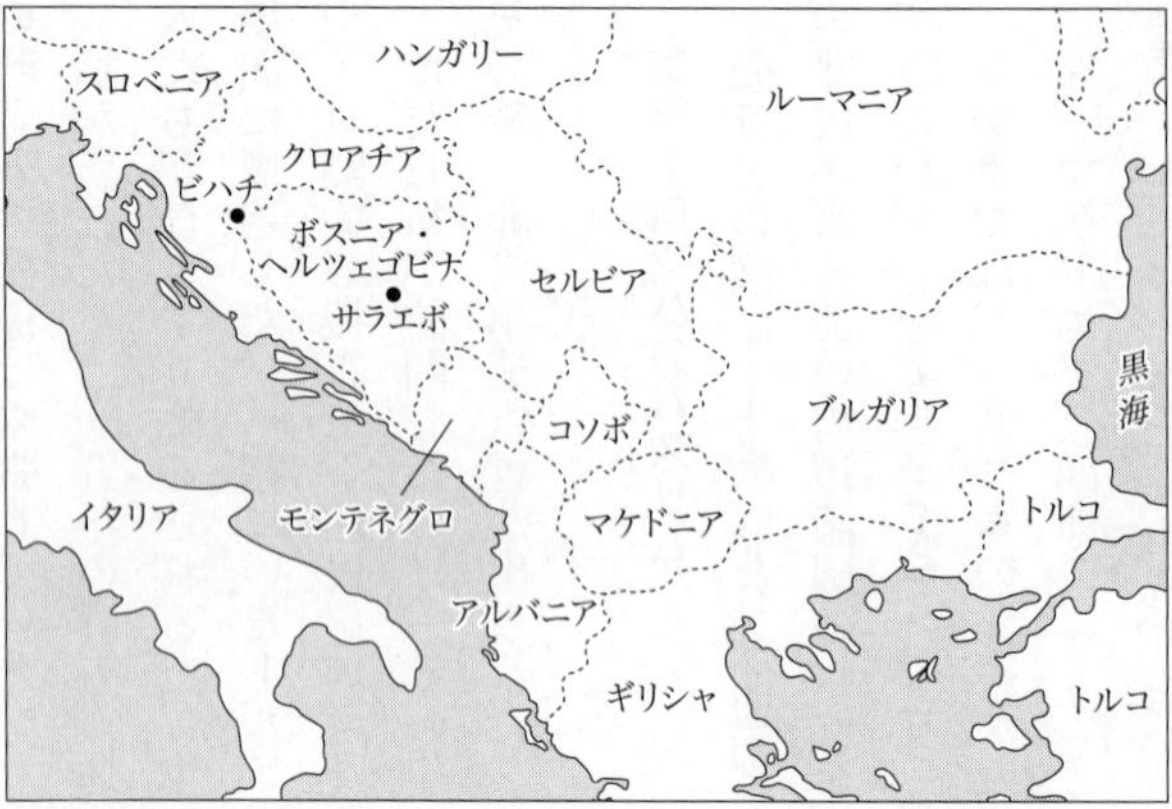

図序-2　ボスニア・ヘルツェゴビナ，コソボ周辺の地図

照)。これらバルカン半島の国々にムスリムが多いのは、オスマン帝国領であった時代に、ムスリムに改宗してそのまま住み続けた市民が多いからである。

ただ、これらの国々にも、新たに流入するムスリムがいる。中東の国々の秩序が相次いで崩壊に向かったため、多くの難民がヨーロッパに向かった。そのなかには、もともとムスリムが多かったこれらの国をめざした人たちがいたからである。この地域はイスラーム社会として、中東からつながっていることが実感されるようになった。

なお東ヨーロッパといっても、ここで挙げたように、ムスリムが住んでいるのは旧ユーゴスラビア諸国か、中東に近い地域である。この地域は、キプロスを除けばかつての社会主義圏に属していたこともあって、ムスリムとはいえ宗教がアイデンティティの前面に出てくることは少なかった。

ボスニアとコソボ

私たちが、東ヨーロッパについて「ムスリム」という言葉を頻繁に聞いたのは、旧ユーゴスラビアが崩壊した一九九〇年代の初頭に始まったボスニア紛争のときである。このとき、セルビアやクロアチアと争ったボスニア・ヘルツェゴビナの「民族」に「ムスリム人」という名前を見た。東ヨーロッパを専門にしていない私には、ただムスリムでもよさそうなものなのに、なぜ、「人」をつけたのか、奇異に感じたことを覚えている。

彼らも、言語的にはセルボ・クロアチア語を話していたのだから、セルビア人、クロアチア人だったのだが、宗教的なアイデンティティが異なっていた。現在はボシュニャク人と表記されることも増えた。セルビア人の多くがキリスト教の正教徒、クロアチア人の多くがカトリックだったことを考えると、最初から宗教的なアイデンティティをめぐって差異化が図られていたことになる。

二〇一三年にボスニア・ヘルツェゴビナの首都サラエボを訪れたときの旧市街の印象は、トルコの歴史ある地方都市そのものだった。コーヒー店には縁台があって、そこでトルココーヒーを啜《すす》り、談笑する。銅の打ち出しで鍋やコーヒーポットをつくる職人たちのいる小道は、トルコのサフランボルあたりの旧市街を散策している気分にさせてくれた。

サラエボの旧市街(2013年，著者撮影)．

ボスニアは一五世紀にオスマン帝国の一つの州となり、サラエボはその主要な都市となった。一九〇八年にオーストリア・ハンガリー帝国に編入されるまで五〇〇年もオスマン帝国の一部であったのだから、トルコの街にみえるのも当然である。しかし独立後の三〇年で、新たなムスリム社会が形成されつつある。オスマン帝国が支配した時代から住んでいるムスリムだけではない。今のボスニアには、シリア難民だけでなく、イラク、イラン、パキスタン、アフガニスタン、さらには北アフリカ出身者まで、多くの人たちが、EU加盟国のクロアチアに近いビハチや首都のサラエボに集まっている。二〇一八年だけで、新たに約五万人がボスニアに来たと言われている(アルジャジーラ、二〇一九年一二月六日)。

ボスニアのムスリムも、世界でムスリムが置かれている状況と無縁ではいられなくなったのである。

かつては「東ヨーロッパにもムスリムがいる」というマージナルな存在として認識されることの多かった彼らもまた、ヨーロッパの「イスラモフォビア」(Islamophobia　イスラーム嫌悪)を知っているし、中東・イスラーム世界の秩序崩壊が、自分たちの暮らす国に直接影響を及ぼすことも知ることになった。

最近では、東ヨーロッパのポーランド、チェコ、ハンガリー、そしてスロバキアという四つの国(ヴィシェグラード四カ国)が、ヨーロッパ全体のなかでも極端なイスラーム嫌悪を掲げる政治家の舞台となりつつある。これら四つの国にムスリムは少なく、彼らが現実のムスリムと接したうえでの嫌悪感ではなく、想像上のムスリム像からひどく嫌悪しているのである。先に挙げたピュー・リサーチセンターの国別ムスリム人口の推計(二〇一六年)によると、東ヨーロッパ諸国のムスリム人口の比率は、ポーランドで〇・一%以下、チェコで〇・二%、ハンガリーで〇・四%、スロバキアで〇・一%となっている。ムスリムが非常に少ない地域で、ヨーロッパで最も激しいイスラモフォビアが起きていることは注目すべき現象である。

ヨーロッパのなかで、古くからムスリムが暮らしてきた旧ユーゴスラビアの地域は、中東での危機から逃れる人びとだけでなく戦闘員たちの隠れ家となりつつある。この問題がにわかにクローズアップされてきたのがコソボである。激しい紛争の後、二〇〇八年の二月にコソボは、ようやくセルビアからの独立を宣言したが、セルビアは承認せず、今も紛争の火種は残ったままである。コソボは隣国アルバニアともども東ヨーロッパのなかで最も経済的にも弱く、なかなか成長を見込めない。セルビアとの関係で社会不安もくすぶり続けるこの国では、アルバニア系ムスリムのなかにも、急進的なイスラーム主義が浸透しつつある。ここ数年のあいだに、コソボは数十人の若い戦闘員を「イスラーム国」（ＩＳ）に送り出してきたといわれる。

こうなると、すでにイスラーム嫌悪を露《あらわ》にしているポーランド、チェコ、スロバキア、ハンガリー、それにセルビアというキリスト教諸国と隣接するボスニア・ヘルツェゴビナ、アルバニア、コソボなどのムスリムが多い国々とのあいだにも新たな緊張が高まっていくことになるだろう。

1章　女性の被り物論争

1　ムスリム女性の被り物をめぐって

フランスのブルカ禁止法

二〇一〇年にフランス議会を通過した「ブルカ禁止法」は、一一年四月から施行された。奇妙な名前で知られることになったこの法律は、フランスにおいては一九八〇年代の末から続く、ムスリム女性のスカーフ、ベールなどの被り物を禁じる一連の動きの総仕上げであった。

ブルカというのは、アフガニスタンに多いパシュトゥンという民族の女性の被り物によく使われる名前で、そもそもフランスで被っている人はほとんどいなかった。実際には、ブルカに限らず、薄布で顔を覆ってしまう被り物や、目だけを出しているニカーブも公共の場所での着

左から，トルコのスカーフ，ニカーブ，ヒジャーブ，ブルカ．
図 1-1　ムスリム女性の被り物のさまざまな種類

用が禁止された（被り物の種類については図1-1参照）。違反すると本人には一五〇ユーロの罰金、着用を強制すると三万ユーロの罰金という厳しい刑罰が科されることになったのである。顔を出しているヒジャーブについては、この法律での禁止対象ではないが大学を除く公教育の場では禁止されている。

最初に、フランスの公的な場でのムスリム女性の被り物が問題となったのは一九八九年だった。ムスリムの女子生徒がスカーフを着用して公立中学に登校しようとして、校長がこれを禁じたため論争となったのである。

しかし、このとき、コンセイユ・デタ（訳しにくい機関だが、行政訴訟の最高裁のようなところ）は、①個人の信仰実践の自由、②公教育の宗教からの中立性維持、③着用を禁止した場合、当該生徒が学校に来なくなり結果として「啓蒙」の機会を奪われる、という三点を総合的に判断し、ムスリム女性の被り物を一律に禁止することはなかった。だが、この判断は後に述べる「フランス共和国のライシテ(世俗主義)原則」に反するという批判が湧き起こり、しだいに規制強化の方向に傾斜していくのである。

二〇〇四年になると、明らかに空気が変わった。シラク大統領のもとに設置された「スタジ委員会」での長い議論を経て、公教育の場において「宗教的なシンボル」の着用を禁止することになった。この経緯については多くの研究者が検討しているが、そのほとんどはフランスの原則を擁護するか、あるいは差別を隠蔽《いんぺい》する構造に関するものが多い。それらも重要なのだが、当事者である移民、それもイスラーム主義で理論武装しているわけではない市井のムスリムの声というのは案外知られていない。

結局、二〇〇四年の法により公教育の場で「これみよがし」もしくは「押しつけがましい」宗教シンボルを示したり身に着けたりすることは禁止された。キリスト教の十字架、ユダヤ教徒の男性が被るキッパはどうするのかという議論もあったが、キッパについては、フランスもまたユダヤ人差別の歴史をもつがゆえに争点にはできず、十字架は目立つものでなければ、つまり服の内側にそっと身に着けるなら問題なしということになったのである。

だが、ムスリム女性の被り物は、そもそも女性の性的部位に頭髪やうなじ、喉元などを含むというイスラームの規範がもとにあるため、目立つも目立たないもないのであって、これらの部位を隠そうとすれば、否応なく目に入るから「禁止」ということになった。しかしフランスで被り物を禁止するときの議論の焦点は、被り物が「これみよがし」あるいは「押しつけがましい」―宗教のシンボルかどうか、そして一歩踏み込んで「宗教の政治的シンボル」かどうかという点にあったのである。

「これみよがし」か、「押しつけがましい」か

まず、「これみよがし」もしくは「押しつけがましさ」については、ムスリムの女性たち自身、それを感じる人と感じない人にわかれる。

トルコやチュニジア、アルジェリアのように、本国がかなり徹底して世俗主義を制度的に採用してきた国からの移民には、イスラームの規範が他人の行動様式にも圧力となると感じる人(女性も)は少なくない。頭髪に関して言えば、それを出しているからといって裸になっているような感覚はない、ということである。

他方、覆っているムスリム女性からすると、それを着けないということは裸で外に出るよう

な感覚を抱く。女性に限らず、保守的な人からみても、覆わないムスリムの女性は「性的に乱れた女性」とみなす場合と「そんなことは個人の自由であって、自分は被るが他人が被ろうと被るまいと関係ない」とみる場合にわかれる。

頭髪などを覆うことは絶対的な典拠である『クルアーン』において、男性、女性ともに性的な部位を隠すように求めていること（24章30‐31節）、預言者ムハンマドの言行録『ハディース』では、伝承としてムハンマドの妻や娘がそのようにしていたことが書かれているところから「イスラーム的規範」の一つに数えられる。『クルアーン』の該当箇所を引用しておこう。

（男の）信仰者たちに言え、彼らの目を伏せ、陰部を守るようにと。それは彼らにとって一層清廉である。まことにアッラーは彼らのなすことについて通暁し給う御方。（24章30節）

また女の信仰者たちに言え、彼女らの目を伏せ、陰部を守るようにと。また、彼女らの装飾（注　美しく魅力的な部分で、顔と両掌以外の全身）は外に現れたもの以外、表に現してはならない。また彼女らの胸元には覆いを垂れさせ（注　頭と胸に覆いをさせ）、自分の配偶者、父親、配偶者の父親、自分の息子、配偶者の息子、自分の兄弟、兄弟の息子たち、姉妹の息子たち、自分の女たち（注　イスラーム教徒の女性、あるいは女性全般）、自分の右手が所有するもの（奴隷）、男のうち性欲を持つ者でない従者、または女の恥部を知らない幼児を除いて自分の装飾を表に表すことがあってはならない。（以下略、24章31節）

（訳文は『日亜対訳クルアーン』中田考監修、中田香織、下村佳州紀訳、作品社、二〇一四年）

はっきりと、どこをどこまで隠せとは明示されていない。そこで、その先は各イスラーム法学派（スンニー派では主要なものが四つある）の学者たちの統一見解のようなものがあって、自分の家系がどの法学派に属しているかによって、それに従うべきだということになる。

だいたいのところ、手首から先と顔は出してもいいが、他は隠せということになっている。法学派のなかでも厳しいところは、ニカーブ（顔も覆う、もしくは目だけ露出する被り物。図1-2）を求めるところもある。被り物の名前はいろいろあるが、要は覆い隠す物なのである。アラビア語ではヒジャーブが「隠す物」、「遮蔽《しゃへい》する物」あるいは「覆う物」の意味で、これがイスラームでの「被り物」全体を表す。

次に、被らない女性を性的に乱れているとみなすかどうかだが、その意識は、被っている女性とそれを支持する男性が、どこまでこのイスラーム的規範を「社会的規範」もしくはムスリムにとっての「法的な規範」とみなすかによる。

たとえヨーロッパ社会であっても、そこにかなり密度の高いムスリム移民街が存在していて、ムスリム社会が形成されているような場合には、どうしても、その社会は閉鎖的になる。ヨーロッパにおける移民社会の場合、その外側に出てしまえば、およそ規範も何もない社会が広がっている。だからこそ、ムスリムが集中する移民街のなかに暮らす人たちは、いっそう外の「毒」から身を守ろうとするため、規範性を強く出してしまうことになりやすいのである。逆に、被り物に抵抗する女性は、個人の自由を制約するものとして、その種の社会的な圧力を嫌がっている。

少し原理的なところに立ち戻って考えてみよう。イスラームの教えのなかには、他人への信仰の強制があってはならないという規定がある。宗教に強制はないというのは、『クルアーン』に典拠（2章256節）があるのだが、これはアッラー（神）が示した正邪の区別をいい加減にしてよいという意味ではない。正しい道は示した。それに従うか、従わないかは人間しだいという意味である。ただ、『クルアーン』はあくまで神の使徒ムハンマドに下された啓示であって、信仰の強制をするなというのも、神がムハンマドという特別な存在に伝えた話である。神の使徒であるムハンマドが、信仰の強制をしなかったのだから、当然、現世の信徒も他の信徒に強制などすべきでないと言える。

しかしそれでは、神が人間に下した指示に従わなくて何のお咎《とが》めもないかというなら、そうではない。現世で罰せられないということであって、最後の審判に際して、従わなかったことは現世での悪行の一つにカウントされるわけで、楽園(天国)に行けるか、火獄(地獄)に行くかをわけるかもしれないのである。

現実のムスリム(女性も含めて)にとって、ここがむずかしいところだが、強制してはいけない以上、「自分は規範に従って隠すけれど、他人がどうするかはその人が決めること」というのが、イスラーム的には整合性をもった姿勢と言えるだろう。ところが、実際には自分が正しいことをしているのだから、それをしていない人は間違っていると決めつけてしまうのも人間の自然な感覚である。

ヨーロッパ社会は、国によって差はあるものの、おおむね世俗主義を受け入れている。キリスト教の信仰に忠実な人もいれば、無関心な人もいるし、敵対的な人もいる。生きていくうえで宗教が必要だと考える人もいれば、邪魔だと考える人もいるのが現実である。宗教というものは、いずれにせよ何らかの規範性をもっているから、規範に縛られたくないと考えるなら、今のヨーロッパ社会は大変居心地が良い。その居心地の良さとイスラームが対立するときに、どちらを取るかで、被り物に対する態度は変わってくる。

「被り物」はなぜ増えたのか

ヨーロッパのムスリム社会は一九八〇年代より前には、一般的にはあまり宗教実践に熱心ではなかったし、被り物にしても、着用する女性は八〇年代までは比較的少なかった。当時すでにヨーロッパ各国では、ムスリムの移民が多数暮らしていた。一九七三年の石油危機で、家族が移住できなくなることを恐れたため、それまで男性の単身労働者が多かったのだが、いっせいに家族を呼び寄せた結果、女性が増えた。実際には、母国に残してきた妻や子どもを呼び寄せて家族が再び一緒に暮らすことは、ヨーロッパでは基本的人権の一部であったから、石油危機によって家族が離れ離れになってしまうという不安は杞憂にすぎなかった。

その当時、イスラーム圏から来た人たちは、今に比べると、スカーフやベールの着用もはるかに少なかった。

中東・イスラーム世界の側では、おおむね第二次大戦後の独立を機に、西欧的な近代国家にならなければいけないという強迫観念が相当に強まった。この意識は国を率いる政治指導者のあいだにも強く、西欧の模倣をすることで近代化するのだという考え方は、政治的にも社会的にも支配的であった。言い換えれば、世俗主義という西欧近代に生まれたイデオロギーが、イスラーム社会でも「上からの力」として作用していたことになる。そのため、女性にもモダンな服装が奨励され、被り物を被らない人が増えていた。

軍と格差

ところが、西欧化＝近代化の路線は、さまざまな面でうまくいかなくなっていく。西欧化したからといって、政治が民主化したわけではない。それどころか多くの国では、軍が力をもつ独裁体制でしか、新たにつくった国家を維持できなかった。このことが、女性の被り物と深くかかわっている。

軍という組織は、本質的に世俗的である。いちいち神の御意思を忖度《そんたく》していては、上意下達の指揮・命令系統を維持できない。軍が主導権をにぎるということは、宗教的な権威も軍部主導の政治に従属させなければならない。戦争や紛争での軍事行動に、いちいちイスラーム法に照らして、是か非かをイスラーム指導者に意見されるのも困るから、国家の組織のなかで最も世俗的なのが軍なのである。その軍人たちが国家を支配してしまうと、社会のあり方から個人の服装にいたるまで、イスラームを活かす方向には進まない。政治的なエリートや知識人たちも、ヨーロッパに範をとって学んでいたから、近代西欧の諸価値をムスリム社会に広めることには躊躇《ちゅうちょ》しなかった。

そうすることによって、軍と西欧化されたエリートは、社会改革もリードするエリート集団として、みずからの位置を確立していったのである。もちろん、それとは距離を置いて、イスラームを学び、イスラームを軸に社会改革を進めようとする人びともいたのだが、彼らは多くの国で遅れた存在とされ、国の近代化を阻害するとして排除されていった。

だがライフスタイルや服装を西欧化したからといって、国民全体が経済的に豊かになったわけではない。さらに経済格差が広がった結果、上流から中流の階層では西欧化＝世俗化が進み、西欧風のライフスタイルが当然のようになっていったのに対し、貧困層は取り残された。

自家用車をもち、欧米の電化製品を使いこなす中・上流層に対して、貧困層の生活は昔のまだった。イスラームは、富裕層と貧困層が存在すること自体を問題にはしない。しかし富裕層がイスラームから離れていくのであれば、貧困層の側は、当然、批判的な眼差しで眺めることになる。

非イスラーム社会なら、そこで階級闘争の考え方が生まれ、社会主義が力をもっていくことになるのだが、イスラーム社会は、なかなかそうならなかった。ロシア革命以来、社会主義には宗教を敵視する傾向が強く、無神論者が多い。しかしイスラーム圏では、ムスリムの行動が世俗的になる、つまり信仰実践に不熱心になることはあっても、積極的に神を否定する無神論者は増えなかった。

ここに、西欧化した、つまりイスラームから離れたエリート層と、イスラームの信仰を拠《よ》り所に生きていく庶民という一種の階級対立が生まれたのである。イスラーム世界が植民地化されてしまう前には、支配階層もムスリムだったし、イスラームの学識が豊かな知的エリートもいた。しかし一九世紀以来の西欧列強による植民地支配というのは、彼らを放逐《ほうちく》して啓蒙し、結果的に西欧化させることを基本としてきた。そして植民地が第二次大戦後に独立した後も、この方向は新たな支配層にも継承されることになった。

イスラーム社会では、西欧や日本とは違って、貧困層に位置づけられることになった人びとは、男性も女性も、イスラームの教えにさらに忠実に生きたいという方向に傾斜していった。傾斜したといっても、それは経済的に上昇することが困難であったがための諦念《ていねん》からそうなったとみることもできる。西欧化したエリートは物質的な豊かさを得た。貧困層は物質的豊かさには無縁であったが、イスラームは人の心に安寧《あんねい》をもたらす。イスラームというと被り物論争も含めて、規範性ばかりが西欧では注目されるが、心理的、社会的にみれば、人にやすらぎを与えることが教えの根本にある。

ここが、資本主義・市場経済のもとでの格差拡大に関する西欧とイスラーム世界の決定的な違いである。安心、安寧を得るようになっていった人びとは、しかしながら、いつまでも為政者がイスラームから逸脱して富と権力を集中する現状を肯定的にとらえていたわけではない。現実の社会がイスラームからあまりに逸脱しているから、不公正な状態にあるのだととらえていくようになったのである。この傾向は男女を問わないから、男性は男性で、女性は女性で各々、神から求められていることをしようという方向に傾斜していった。

この思いが中東・イスラーム世界で徐々に高まっていく一九八〇年代には、多くのムスリムがヨーロッパ社会に家族単位で定住するようになっていた。そして今もなお、社会の一員として生き続けている。

移民の出自で、いま被り物を着けている若い女性たちは、ほとんどその後の世代なので、親が強制などしなくても自分から被っていくようになった。世俗的なヨーロッパ社会に身を任せることで西欧的・世俗的な「自由」を手にして満足する人も出てきたが、他方では、いっそうイスラームに忠実に生きる道を選ぶ人も出てきたのである。

みずからの意思で被り物を着けている女性に対して、女性抑圧の象徴だから禁止しろという議論は、当事者にとって意味のない主張となってしまった。だが、ヨーロッパ社会はそのことに気づかないまま今日に至ったのである。

ヨーロッパ社会は、被り物の何を拒否するのか？

これに対して、国によらずヨーロッパ社会が被り物を否定的にとらえる共通の理由は主に三つある。

①女性抑圧の象徴、②イスラームを政治的に利用する過激派の象徴、③「イスラームを象徴する女性の被り物」は、公的空間を宗教から切り離しておかなければいけないという世俗主義に反する、というものである。

これらの主張について考えてみよう。被り物が女性抑圧の象徴だという主張は、なぜ女性が頭髪やうなじなどを「隠さなければいけない」のか、それでは、あたかも女性が男性の所有物のようでジェンダー不平等の象徴だという認識から来ている。

確かに、男性が、自分の妻に対して、性的部位を他人にみせるなと命じるのには、嫉妬や所有欲が絡むことがある。男性が父親や兄の場合には、未婚の娘や姉妹の「貞節」は家族の名誉だという感覚があり、性的な意味での「慎み深さ」を示すために被り物を身に着けることが必要だと主張する人がいる。

しかし、これは、あくまで、そういうムスリム男性がいるという意味であって、どこまで強制するか、できるかは家族や暮らしている社会によって、まちまちである。ヨーロッパではどうかと言うなら、そもそも家族の外側では、タンクトップにショートパンツで闊歩《かっぽ》していても何の問題にもされない。そのために、女性の自由意思にまかせる人もいるし、逆に母国の社会にいる人たちよりも、より強い規制をかけようとする人もいる。

ところが先に述べたように、現在、ヨーロッパ在住のムスリムに限らず、中東・イスラーム圏のムスリムのなかでも、自分の意思で隠そうとする女性が多数を占めている。そうなったのは、巨視的にみれば、一九八〇年代あたりから、西欧諸国、ムスリム諸国ともに、世俗主義のイデオロギーが非常に強く浸透しているがゆえに、ムスリムとして生きづらいのだという意識が広く共有されるようになったからである。

第二の、過激派によるイスラームの政治利用の象徴だという批判について検討してみよう。被り物が「イスラーム原理主義」や「過激派」を象徴するのかという点については、西欧世界のイスラームに対する偏見がよく表れている。結論から言えば、着用者の圧倒的多数は、まったく過激性や暴力性のない女性である。一方、被り物が過激派を象徴するかという点については、過激な人が被っていることは事実だが、被っている人が過激派ということにはならない。

これら二つに比べると、よりもっともに聞こえるのが、三番目の公的空間を非宗教的にしておくべきだという世俗主義の原則に反するという主張である。このことについて、次にみていきたい。

2 政教分離と被り物

日本での政教分離

まず、日本を例に考えてみよう。日本の公立学校では宗教教育をすることはできない。これは、憲法第二〇条と第八九条に公的な領域が特定の宗教から中立でなければいけないという原則があることによる。


第二〇条　信教の自由は、何人に対してもこれを保障する。いかなる宗教団体も、国から特権を受け、又は政治上の権力を行使してはならない。

何人も、宗教上の行為、祝典、儀式又は行事に参加することを強制されない。

国及びその機関は、宗教教育その他いかなる宗教的活動もしてはならない。

第八九条　公金その他の公の財産は、宗教上の組織若しくは団体の使用、便益若しくは維持のため、又は公の支配に属しない慈善、教育若しくは博愛の事業に対し、これを支出し、又はその利用に供してはならない。

ふつう、この二つは政教分離の条項として理解されるが、この条文をよく読むと、個人が公の場（国およびその機関）で宗教を表す行動をとってはいけないとは規定していないのである。

ライシテとは、何か

フランスにおける「ライシテ」（laïcité）というのは、国家が特定の教会に特権を与えてはいけない、つまり国家と教会を分離するところに根本がある。その結果、立法、司法、行政、公教育など行政のあらゆる領域は、宗教から中立であること、言い換えれば非宗教的であることを求められる。さらに個人の側も、特定の宗教、教会、教団組織などに属していることを示す「シンボル」を公的な場に持ち込むことが制約されるのである。個人が持ち込むことの是非については、公教育の場での議論が典型的なのだが、その「シンボルを身に着けていない」市民が、精神的な圧迫を受けてはならないという点が考慮される。むしろ、この原則を守ってこそ、個人は内面の自由の一つとしての信教の自由を保障されると考えるのである。

ところが、ここでフランスはイスラームの特質を見誤ってしまった。イスラームは内面の信仰だけでなく、壮大な法の体系をともなって個人から社会のあり方まで規範を示す。したがって信者個人の行動という外形的な面が、たえず規範の問題として表に出てくるのである。イスラームには、人間社会を公的な領域と私的領域にわけて、信仰実践としての行動は私的領域の内側だけにとどめておくという発想がない。だから、ライシテと衝突するのである。

フランスのライシテは、現在、ある意味で反イスラームの根拠であり、原動力ともなっている。極右勢力がライシテを前面に出してムスリムを批判することも、憲法原則にのっとっていることになるから、誰も差別とは認識しない。ライシテがこのように強い規制的な性格をもつのは、もともとカトリック教会とのあいだの長い闘争の歴史があったからに他ならない。

フランスと比べると、日本の場合は、国家が宗教を利用してはならないという点に力点が置かれてきた。個人が宗教との関係で、公の場でどういう行動をとるかは問われない。むしろ、それは公の秩序や利益を損なわない限り、尊重されてきたのである。

ヨーロッパ全体の潮流に

二〇二〇年現在、ムスリム女性の被り物に対する敵意は、フランスのみならず、全ヨーロッパに拡大している。イスラームへの嫌悪感情は、ヨーロッパのなかでもムスリム移民の人口が多かった西ヨーロッパで最初に拡大した。そして、二〇〇一年九月一一日のアルカーイダによるアメリカ同時多発テロ事件で一気に火がついた。

フランスでのイスラームへの反感が世俗主義から来ていたのに対して、ドイツでは、ムスリムが多いことを、キリスト教社会の視点から批判するようになっていく。つまり、ここはキリスト教徒の国なのだから、あなたたちの居場所はないというのである。

そのときに、攻撃のターゲットとされたのが、最も目につくムスリム女性の被り物だった。その結果、ムスリムの女性は二重の問題に直面することになった。最初の問題は、ただでさえ家父長的性格の強いムスリム社会のなかで、外に出る、つまり教育を受けたり、職に就いたりすることはむずかしかったことである。そして、イスラームに則った服を着ることで親や夫を何とか納得させて外に出ると、今度は、外界からの敵意にさらされたことである。

敵意が主として女性に向けられたのは、男性の服装には、これといってムスリムを表す特徴がないからである。顎鬚《あごひげ》を伸ばす人はいるが、ヨーロッパの男性にもいるので、特段にイスラームの象徴とみなされることはない。

さらにヨーロッパでは、例外なくムスリム女性の被り物を「イスラームのスカーフ」「イスラームのベール」と表現するが、こういう表現を使っているうちに、女性の被り物があたかもイスラームの象徴であるかのように扱われるようになった。しかし、イスラームには、目に見える「物」が象徴性をもつという考えはない。繰り返しになるが、女性の被り物は、単に性的な部位を覆えという規範のための布にすぎない。イスラームが生まれたときから、預言者ムハンマド自身の伝承のなかにも、頭髪、うなじ、喉元などを、そういう部位と認識したことが記されている以上、後の時代にこの規範を変えることはできないのである。

ここがイスラームという宗教の一つの根本的特徴といえるのだが、『クルアーン』と預言者ムハンマドの言行(スンナ、これを集成したものが『ハディース』)に典拠がある規範については、時代の変化に合わせて変えることができないのである。もちろん、一四〇〇年も前の規定は今の時代に合わないから変えるべきだという意見はムスリムのあいだからも出てくる。近代西欧文明の力というものは巨大なので、その影響を受けたムスリムの知識人からは、そういう声があがる。しかし、そのたびに、揺り戻しの原点回帰運動も起きてきて、結局、今日まで、草創期にできた規範を時代に合わせて変えるべきだとする意見が主流を占めたことはない。

もとは宗教的な規範であっても、長いこと覆っている人にとって、それを露《あらわ》にすることは、羞恥心にかかわる。羞恥心を感じなければ問題ないが、強い羞恥心を感じている人に、覆いを取り去れと命じるならば、それはセクシャル・ハラスメントである。公権力を行使して、被り物を取れと命じるならば、いわば国家を挙げて公然とセクシャル・ハラスメントをおこなうに等しい。

イスラーム圏を旅行するとすぐにわかるが、男性用のトイレには、小用であっても完全に隣の視線を遮断するような仕切りがついていることが多い。あるいは、個室しかないこともある。間違って女性用に入ったかと、ぎょっとした経験は私にもある。だから日本のように、そこまで仕切りを設けない国では、ムスリムは小用を足すにも個室に入るくらいである。

実はヨーロッパの人びとも、そのことに気づいていない。男性が、性的部位を他人の目にさらすことに耐えがたい思いをするのであるから、女性が性的な部位と認識している頭髪やうなじを露にすることに、相当な羞恥心を覚えるとしても何の不思議もない。ただし、胸や下半身は、信仰実践に熱心であろうとなかろうと隠すが、頭部については、性的部位だというコンセンサスが文明を超えて存在しないので、隠すか隠さないかは、その人の信仰に対する態度によって差が生じていっ

カタール，ドーハ・ハマド空港のトイレ（著者撮影）．

たのである。

3　ヨーロッパ各国での状況

次に、ヨーロッパのいくつかの国について、イギリスＢＢＣ(The Islamic Veil across Europe：二〇一八年五月三一日)やイギリスの新聞『ガーディアン』(二〇一八年五月三一日)の特集記事などをもとに、被り物に対する規制の状況をみておきたい。

図1-2は、ヨーロッパにおける、被り物への意識の調査である。

イギリス

イギリスの場合は、一つには多文化主義の伝統があるため服装に対する規制をしない。イギリス自身がそうだが、スコットランドのキルトのように独自の服装があるため、文化的表象としての服装を尊重する。それをしなかったら、とうてい、連合王国＝United Kingdom of Great Britain and Northern Ireland(イギリスの正式名称)にはなれなかった。実際、私たちがふつうイギリスと呼んでいるこの国は、イングランド、スコットランド、ウェールズ、そして北アイル

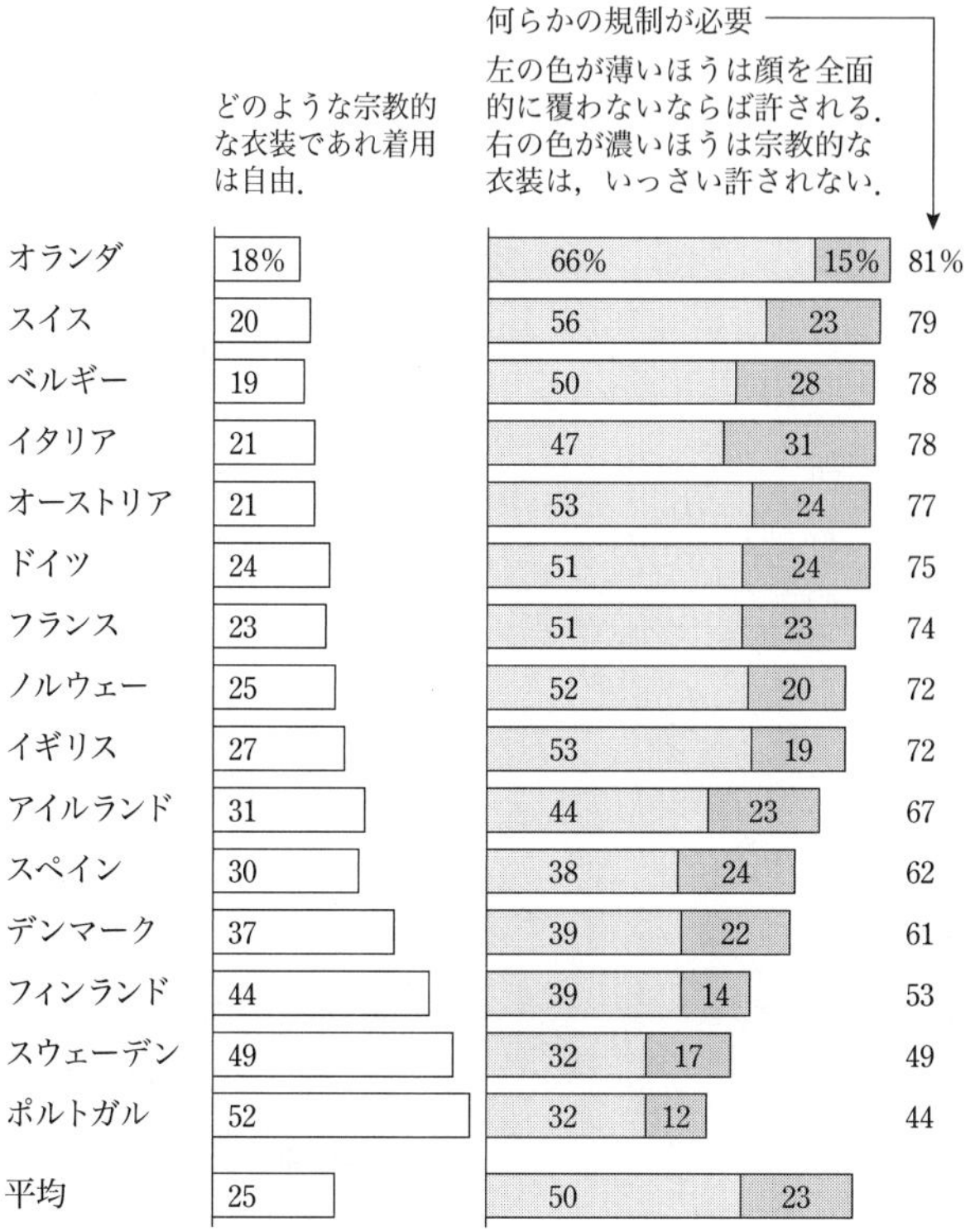

出典：Pew Research Center, 2017.

図 1-2　ヨーロッパ各国におけるムスリム女性の被り物に対する意識

ランドから成り立っているし、その各々が文化の伝統をもっているのである。

そして、長い植民地支配の歴史があるために、シク教徒のターバンであれ、ムスリムの被り物であれ、彼らの規範につながる服装をはじめとする文化を否定することが、いかに危険かを知悉《ちしつ》している。そのため、女性の被り物論争からは距離を置いてきた。

だがそのイギリスでも、ムスリム女性の被り物に対する規制の可能性は高まりつつある（4章3）。特に、英国独立党（UKIP）が勢力を伸ばしてくると、党首を務めたナイジェル・ファラジュのように、被り物がイギリス社会を分断するものであり、治安にとって脅威だと主張する政治家が登場してきた。

ドイツ

二〇〇九年七月、ドイツのドレスデンでマルワ・シェルビニというエジプト人女性が殺害された。事件は、ヨーロッパとイスラームの関係を読み解くうえできわめて重要である。彼女はマックス・プランク研究所に勤める夫とともにドイツに滞在していた。あるとき、公園で彼女がヒジャーブを着用していたことを理由に執拗に侮辱した男がいた。彼女はこの男の言動を警察に訴え、男は起訴された。一審は被告アレックス・Wを有罪とし、罰金刑を言い渡した。これを不服とした被告は控訴した。事件はその控訴審の法廷で起きたのである。被告は隠し持っていたナイフで一八回にわたって原告マルワ・シェルビニを刺して殺害した。凶行を止めに入った夫は、警備の警察官に誤って撃たれ負傷した。

アレックス・Wは、彼女の服装を理由に侮辱したので、ヘイトクライム（憎悪犯罪）で裁かれた。それを逆恨みしての殺人が、こともあろうに法廷の場で起きたのである。事件そのものはドイツでも大きく報じられたのだが、そこには重大な見落とし、あるいは隠蔽《いんぺい》があった。ドイツでの報道は、被告がなぜナイフを法廷に持ち込むことができたのか、という点に集中していた。もちろん、事件の端緒が被り物をしているムスリム女性への侮辱というヘイトクライムにあったことは報じられた。

だが、この事件が、かつてユダヤ人の身に起こした最悪の犯罪と同根ではないのか、という省察は決定的に欠けていた。ユダヤ人に対する贖罪《しょくざい》と非ナチ化について、私はドイツがとってきた多くの施策に疑いを持ってはいない。しかし、それでもなお、イスラームの信徒という「異質な存在」を前にして、贖罪も非ナチ化も役に立っていないのではないかという疑念を払拭《ふっしょく》することができない。

かつて九〇年代、ドイツのネオ・ナチは外国人やトルコ人に対してドイツから出ていけと叫び、ドイツはドイツ人のものだという主張を繰り返した。この時代には、差別と脅迫の対象はトルコ人という「民族」であったため、直ちに訴追の対象となった。人種や民族に対して差別的言動を繰り返す組織は、連邦憲法擁護庁によって監視され、しばしば閉鎖させられている。

では、イスラームという宗教、それを信仰するムスリムに対する差別表現は、直ちに訴追の対象となるのか。それは非ナチ化の文脈のなかに位置づけられているのか。私には、どうもそうなっていないように思える。もちろん、シェルビニの件で被告が有罪とされていることからわかるように、ヘイトスピーチは犯罪として裁かれる。しかしそれは、被り物をしているムスリム女性に罵声を浴びせ、恐怖を抱かせたがゆえに犯罪とされたのであって、「イスラームという宗教」に対する差別表現を禁じているわけではないし、まして「イスラームを批判すること、ムスリムのある種の行為を批判すること」を禁じているわけではない。

実際、スカーフやヒジャーブのようなムスリム女性の被り物について、学校の現場で教員が着用することについては禁じる州(ラント)もあるし、その議論では、あらゆる批判が可能である。では、同じことをユダヤ教徒に対してもできるか、というなら、現実的にそれは不可能である。カトリックの修道女に対して、ヒジャーブと同じように非難することが可能か、というならそれもできない。

スカーフやヒジャーブ批判の内容について議論するのは自由である。だが、スカーフやヒジャーブ着用者に罵声を浴びせることが「表現の自由」や「言論の自由」の一部だというなら、それは誤りである。ドイツには、フランスのように公共の場で宗教的なシンボルを掲げることを禁じる法的根拠はない。したがって、そもそも信仰上の理由からある服装をしていることを理由に罵声を浴びせたり、暴力をふるったりすることは容認されるはずもない。しかし、ムスリムに対しては、しばしば抑制が利かないのである。

こうなると、シェルビニの事件が、ヘイトクライムであるのか、それともドイツがキリスト教色の強い国であるがゆえに、イスラームに対して敵対的なのか、判然としなくなってくる。

事件が起きたころ、私と大学のゼミの学生たちは、何度かベルリンの街頭で市民にインタビューをした。そのなかに「ドイツはキリスト教の国なのだからモスクは要らない」、「ドイツはキリスト教の国なのだからムスリムがイスラームの主張をするのは許せない」という声が、ふつうにあがっていたことに私は衝撃を受けたが、それから一〇年を経た今、このようなムスリム排除の言説は、ヨーロッパのほとんどの国と社会でごくふつうに聞かれるようになってしまった。市民の声としては、ドイツはキリスト教社会であるため、他の宗教が顕在化することへの嫌悪感があるし、現在、「ドイツのための選択肢」（ＡｆＤ）のような排外主義・反イスラーム政党は、明確にそれを主張する。しかし、被り物着用の自由を求めるムスリムが起こした裁判においては、公共空間は宗教から中立であるべきだとする意見や、ムスリム女性の被り物が女性差別の象徴だとする意見が混在している。

ただし、公共空間の非宗教性はドイツにおける原則とは言い難い。南部のバイエルン州のようにキリスト教カトリックの強い地域では、公立学校の教室に十字架を掲げることも認められるし、第一、政党の名前にキリスト教民主同盟（CDU）やキリスト教社会同盟（CSU：バイエルン州のみにあり、連邦レベルではCDUと同じ会派）とあるように、政教分離さえ、フランスや日本と比べても厳格ではないのである。

フランスとベルギー

フランスの被り物禁止は、先に述べたように現在のところヨーロッパで最も厳しいもので、私的空間と、礼拝をするときか車で移動するときの車内を除いて、ほぼ全面的に禁じられた最初のケースでもある。さらに二〇一六年には、ムスリムのためにデザインされた水着に対する禁止が話題になった。地中海岸のいくつかの市の市長が、全身を覆うタイプの水着（通称ブルキニ＝ブルカとビキニをかけた造語）のビーチでの着用を禁じたことに対して、当時のヴァルス首相が支持を表明したのである。ただし、ムスリム側の訴えを受けた行政裁判所は、法の適用から逸脱しているとしてブルキニ禁止を退けたため、後に、禁止は解除された。

しかしフランスでは、世俗主義の原則を支持するムスリムも多く、顔を覆う被り物に対する禁止を多くのムスリムは問題だと考えていない。実際、この種の被り物を着用している女性はわずかである。

二〇一一年七月に、ベルギーでは、本人が誰であるかわからないようなフルフェイス型の被り物(ヘルメットを含む)を公共の場で着用することを禁止した。

ベルギー在住のムスリムが訴訟を起こしたが、憲法裁判所はムスリムの人権を否定するものではないとして訴えを退けた。この件については、欧州人権裁判所も同じ訴えを退けている。

デンマーク

二〇一八年五月に自由党を与党とするデンマークの議会は、顔面を覆う被り物を禁止し、罰金刑を科す法案を可決し、八月に施行された。しかも、再犯には罰金を一〇倍にするという厳しい措置をとることを決めた。この禁止法では、バイク走行時のフルフェイスのヘルメットや防寒用の覆いなど、生活上、必要とされるものには適用されない。さらに、ユダヤ教徒男性の被り物にも適用しないとされている。

その一方で、この法案が「ブルカ禁止法」と呼ばれていたことからわかるように、これもまたムスリムをターゲットにしたものであった。さらに、市民権を得るには異性間の「握手」を嫌がらないことを法制化する動きもある。

二〇一九年六月の総選挙は、この国の政治に大きな変化が起きていることを明らかにした。総選挙がおこなわれた六月五日付けの『朝日新聞』は「デンマーク、左派が右傾化　きょう総選挙、移民規制訴え支持拡大」という見出しを掲げた。左派の社会民主党が、難民、移民に対する規制を強化する与党に同調したのである。顔を覆う被り物の禁止、非西欧系の移住者が集中する地区を「ゲットー」とし、非西欧系の住民比率を上げない措置をとる、一五年の難民危機後には、難民が所持する金品を差し押さえるなどの政策を支持した。もともとこれらの政策は排外主義・反イスラームを明確に主張した極右デンマーク人民(国民)党の主張だったのだが、与党の自由党だけでなく、社会民主党もこの政党に同調したのである。その結果、この総選挙では社会民主党が第一党の座を確保し、人民党は大きく議席を減らすことになった。

デンマークでは、人民党よりもさらに激しい反イスラームを主張する「強硬派」と「新右翼」という政党も登場した。強硬派は、ラスムス・パルダンによって二〇一七年に結成されたが、一九年四月には『クルアーン』を放り投げるというイベントをおこない、反対する市民とのあいだで衝突した。その前にも、移民の多い地区で『クルアーン』を焚書《ふんしょ》にするというイベントをおこなっており、デンマークからのすべてのムスリムの追放を主張し、現在、最もイスラームへの嫌悪を先鋭化させている組織である。

ムスリム女性の被り物に対するデンマーク全体の規制は今のところ他のヨーロッパ諸国と大差ないのだが、問題は、被り物どころかムスリムの存在そのものを許さないという強硬な政党が登場していることである。

オランダ

二〇一六年にオランダでは下院議員の多数が、学校、病院、公共交通機関での顔面を覆う被り物着用を禁止する法案を可決した。この法案は一八年六月に上院を通過し、成立している。ルッテ首相(自由民主国民党)は、フルフェイス型のヘルメットなども同様に禁止するため、違反者に罰金を科すことは宗教的には中立だとして支持したが、現実にはムスリムを対象にしていることは明らかだった。

二〇〇一年の9・11同時多発テロ事件以降、オランダの宗教的寛容は、イスラームに対しては機能しなくなっていった。その後、この傾向は強まってきたが、二〇一五年の難民危機とヨーロッパ各地でのテロによって、オランダ社会におけるイスラモフォビアは、もはや抑制が利かないレベルに達している（図1-2参照）。

この被り物禁止は、急速に力を伸ばしたヘルト・ウィルダースが率いる排外主義の自由党の勢いを削ぐために、二〇一七年の総選挙（下院議員選挙）を前に与党の自由民主国民党が打ち出したとされている。それでも、三月に実施された選挙の結果、ルッテ首相の自由民主国民党はかろうじて第一党の座を守った。しかし自由党は第二党となり、従来、主要政党の位置にあったキリスト教民主勢力や労働党は大きく議席を減らしたのである。

オランダの反イスラーム傾向は、映画監督のテオ・ファン・ゴッホ暗殺事件（二〇〇四年）など、国内でのムスリムによる暴力事件が発生して以来、近隣のヨーロッパ諸国での一連のテロなどの影響を受けて強まっていた。そして、リベラル政党の自由民主国民党自身、イスラームがオランダ社会に適合しないという認識を強めていた。だが、異なる宗教コミュニティの並立を認めてきたオランダ型の多文化主義との矛盾を避けなければならない。そこで、イスラームはオランダが守ってきた寛容とも、自由とも、女性の人権とも相容れない宗教であるがゆえに、排除しうるという言説を採用していったのである。

オーストリア

二〇一七年一月、保守の国民党と社会民主党による連立政権は、学校や裁判所でのニカーブとブルカの着用禁止を決めた。その年の一〇月に予定されていた総選挙で、支持を拡大していた極右、自由党の勢いを削ぐ目的があった。オーストリアの自由党は、オランダの同名の政党とは違って（5章1参照）、もともと民族主義的な主張をもっており、一九九九年の総選挙では党首のイェルク・ハイダーのもとで躍進した。

彼は、当時すでに反移民、反イスラームを掲げており、その排外主義的な主張のためにEUの主要国から厳しく批判されていた。当時のEUは、まだ極右・排外主義に対抗する軸を維持していたのである。二〇一七年一〇月の総選挙で、自由党は第三党となったが、国民党と連立を組み、副首相となったハインツ・カリスティアン・シュトラッヘは、オーストリアとヨーロッパの「イスラーム化」を食い止めなければならないと力説した（二〇一九年五月、シュトラッヘは不正疑惑で辞任）。

オーストリアでの被り物禁止は、結局、ムスリム女性のニカーブやブルカだけを対象にすると宗教差別にあたるということになり、公共の場でのフルフェイスの覆いをすべて対象にした。

これはオランダでの措置と同じなのだが、オーストリアの場合もニカーブやブルカの着用者はほとんどいなかった。そのため、警察がもっぱら取り締まったのは、動物の着ぐるみやヘルメット、それにウインター・スポーツでの防寒用のフェイスマスクであった。

被り物禁止の政治的な意図はムスリムに対する批判だったのだが、現実には、ムスリム女性の多くは顔を出しているヒジャーブまでしか着用していなかったため、規制されることはなかったのである。

イタリアとスペイン

スペインでは、一部で顔面を覆う被り物への規制が導入されるようだが、二〇一九年の時点では国家レベルでこのような措置をとっていない数少ないヨーロッパの国となっている。

イタリアでは、全国レベルでの立法措置はとられていないものの、二〇一六年には北部のロンバルディア州で顔を覆ったまま公共施設に立ち入ることは禁止された。一七年には北部のリグーリアでも治安上の理由でフルフェイスのヘルメットと並んで、ブルカやニカーブを禁止した。信教の自由を保障するイタリア憲法の規定に反しないように、セキュリティ上の利用で禁止したとされているが、「同盟」(当時は北部同盟)のリーダー、マッテオ・サルビーニは、女性の自由のためだと、この禁止を支持した。反EU・反移民を掲げるポピュリスト政党の同盟はブルカ型の被り物が女性差別の象徴だとして、批判を強めている。

ここでも、イスラームという特定の宗教をターゲットにした禁止措置ではなく、ヘルメットも対象とされた。治安上の理由というのは、フルフェイスのヘルメットによって個人を特定されないようにして強盗などの犯行に及ぶケースと同様、ニカーブやブルカを着用することで性別や個人を特定できないようにすることが犯罪につながると考えてのことである。

二〇一八年三月の総選挙で支持を集めた同盟は反移民、反難民受け入れ、反イスラーム、反EUなどを掲げる「極右」ポピュリスト政党としての性格を強めている。同盟のリーダー、サルビーニは内相兼副首相を務めていたときに、北アフリカから地中海を通ってイタリアをめざす難民・移民のイタリアへの引き受けを何度も阻止しようとした人物である。

スウェーデン

デンマークでの動向は、北欧諸国に少なからず影響を与えている。スウェーデンは二〇一八年九月に総選挙を実施したが、社会民主労働党が第一党を維持したものの退潮傾向は著しく、左翼党、緑の党、社会民主労働党の赤緑連合(左派連合)も、保守・リベラルの右派中道連合アライアンス（穏健党、中央党、自由党、キリスト教民主党）も議会で過半数を取ることができなかった。結局、さらに小規模の政党の支持をとりつけて赤緑連合が組閣にこぎつけたのだが、この混迷の原因は、排外主義・極右政党とされるスウェーデン民主党躍進の結果だった。既存政党による左派連合も保守・リベラルの連合も、極右を取り込むことだけは阻止するという強い意志があったために、逆に政権発足に時間がかかってしまったのである。

ジミー・オーケソンが党首を務めるスウェーデン民主党は、移民受け入れに反対、難民受け入れ規制の強化、移民と難民の送還強化、反イスラームを掲げる。彼は、イスラームは第二次大戦以後のスウェーデンにとって最大の脅威であり、女性の被り物やモスクを「イスラーム文化帝国主義」の象徴として批判し続けてきた。この党のイスラーム嫌悪は二〇一〇年以降になると激しくなり、ムスリム女性の被り物は、テロリストや犯罪者が個人を特定できないようにするための隠《かく》れ蓑《みの》だと主張するようになった。セキュリティを理由に、禁止を正当化する論理である。

選挙の前の段階で、極右政党の伸長を抑える必要もあって、左右両勢力は顔面を覆うタイプの被り物を公的な場で禁止する法案を準備していた。いずれ実行に移されるものと思われるが、スウェーデン民主党は、一律な被り物禁止よりも、親が子どもに宗教的なシンボルを身に着けさせること自体を禁止すべきだという強い主張を展開している。

ノルウェーとフィンランド

ノルウェーでは二〇一八年六月に、顔面を覆うタイプの被り物について教育現場での着用が禁止された。社会主義左翼党は、教師の着用のみ禁止に賛成したが、生徒の着用禁止には反対した。ほかの左派政党はこの法案に反対している。

一方、排外主義を掲げるノルウェー進歩党は、二〇〇三年以来この党が主張してきたムスリム女性の被り物禁止がようやく実現したことを称賛し、いずれ、被り物は教育現場だけでなく全面的に禁じられるべきだとしている。この政党にとっては、今になってほかの政党が呉越同舟で被り物の禁止に動いたことで、自分たちの先見の明をアピールしたのである。

フィンランドの二〇一九年四月の総選挙では、中道左派の社会民主党が一七・七％の得票で第一党、フィン人党（反移民・排外主義・反イスラーム）は一七・五％で第二党となった。それまで政権を担ってきた中道保守の中央党は一三・八％で大きく議席を減らしている。左派で人権や環境問題に力を注ぐ緑の党は得票を伸ばしている。新政権は、社会民主党を中心にフィン人党を外した五党の連立となった。

このフィン人党もまた、「イスラームのいないフィンランド」などのスローガンを掲げたため、ヘイトクライムで問題になった政党である。

誤認による排除

繰り返しになるが、イスラームが被り物というモノによって象徴されることはない。したがって、女性たちの被り物をあたかもイスラームの象徴であるかのように主張し、宗教的なシンボルは公的空間から排除せよと主張してしまうと、ムスリムとの共生は破綻していく。

先にも書いたとおり、イスラームにとって絶対的な法源である『クルアーン』と真正なものとされる『ハディース』は、フルフェイス型の被り物で顔面を覆うことを求めてはいない。だからこそ、多くのムスリム女性はスカーフやヒジャーブは着用してもニカーブやブルカを身に着けない。ヨーロッパ社会は、一般的にそのことを知らない。

他方、ムスリムの側は、①被り物を着けない、②身に着けるがニカーブは着けない、③ニカーブで目以外は全面的に覆うという三通りの行動をとる。ブルカについては、そもそもヨーロッパであれ中東であれ着ける人が少ないが、彼女たち自身の判断としては③の延長線上にくる。

私もニカーブやブルカの禁止についてはやむを得ないと思う。相手のヨーロッパ社会は、なにより個人というものを尊重する社会であるし、信教の自由や表現の自由についても、それは個人を基準にしての話である。話をするにしても、議論をするにしても、相手の目を見て、相手の表情を読み取りながらコミュニケーションを図る。そこに、個人が特定できない状況をつくりだしてしまうと、これはヨーロッパの人びとにとっては許容の限界を超えてしまう。自分が話している相手が何者なのか、まったく判断がつかないというのは相当の不安を感じさせるのである。

ただ、フランスをはじめ、多くの国でフルフェイス型の被り物を「ブルカ」と呼んでいたことには違和感がある。フランスで「ブルカ」が問題にされたきっかけは、禁止法制定当時のサルコジ大統領が二〇〇九年に上下両院に対する議会演説のなかで、ブルカは宗教的な印ではなく、女性の隷従化《れいじゅうか》のシンボルであり、フランスでは歓迎されないと発言したことにあった。そもそもブルカが世界に知られたのは、9・11の後にアメリカ軍やＮＡＴＯ（北大西洋条約機構）軍がアフガニスタンに侵攻したことがきっかけだった。そこには、戦争を肯定するために「女性の解放」を利用する面があったことは確実である。実際に、アフガニスタンのブルカ（全身すっぽり覆っている）を着ている女性は、ヨーロッパにはほとんど存在しない。むしろ、目だけ開けているニカーブの着用者のほうがまだ多いのだが、それにしても、イスラーム法上はそこまでることが義務とはいえないのである。それゆえ、きわめて少数の着用者をターゲットにして、ムスリム女性の被り物全体を排除の対象にしていくという政治的意図にもとづいていたことに、私は注目するのである。

そして、二〇一四年から一八年にかけて、イスラーム過激派によると思われるテロ事件が多発したため、被り物が公共空間での秩序に反するものであり、治安上の脅威とする見方が、急速に強まった。個人を特定できないために、もし、男性が被っていたらどうするのか？　被り物のために監視カメラをすり抜けてしまったらどうするのか？　というのである。現実に、そのような事件が多発したわけではないが、可能性としてはやはり否定できない以上、フルフェイス型の被り物はセキュリティを理由に規制されていくことになった。

だがそれでも問題が残る。ヨーロッパ各国の社会は、ニカーブやブルカを禁じることによって、ヒジャーブや単純なスカーフに対しては寛容な姿勢に転じたのだろうか。実際には、まったくそんなことはない。相変わらず、スカーフやヒジャーブを被っている女性たちも、いまだに冷たい視線と罵声を浴びている。法律のうえでは被り物のあいだに線を引いたものの、嫌悪の感情には線引きはなされなかった。つまり、被り物はヨーロッパ社会にとっての「争点」ではなく、ムスリムを排除しようとする排外主義の道具だてとして利用されてきたのである。

コラム　表現の自由をめぐる論争

ヨーロッパ社会とムスリムとの衝突の原因となった、もう一つの争点は表現の自由であった。古くは一九八八年に出版されたサルマン・ラシュディの『悪魔の詩』(原題はThe Satanic Verses)がイスラームを冒瀆《ぼうとく》したとして問題になった。ムスリム移民が集中していたイギリスのブラッドフォードでは焚書にする騒ぎになり、イランの最高指導者ホメイニ師は作者に死刑を宣告し、日本では一九九一年に訳者の五十嵐一《ひとし》筑波大学助教授が殺害された。九三年には、トルコでも訳者を含む文芸家の集会が襲撃され、多数の死者を出す惨事となった。

「表現の自由」が通じないわけ

二〇〇五年の九月末、デンマークの『ユランズ・ポステン』紙がイスラームを創始した預言者ムハンマドの風刺画を掲載して大きな波紋を呼んだ。ここでは、その意味を述べるにとどめる。イスラーム、特にスンニー派ではアッラー(神)も預言者も描かない。描いたものが真実の姿である保証がない以上、単に偽の偶像を拝み、崇敬の対象とすることになってしまう。偶像けないのである。

を描くこと自体が禁じられているとは言えないのだが、問題は、偽物を拝むことになってはい

異教徒であるデンマーク人の画家が何をしようと、本来、ムスリムには関係のないことであって、それだけで暴動や画家に対する殺害予告に至ったわけではない。ムスリムの怒りが世界中に拡散したのは、デンマーク政府が、表現の自由と宗教的過激主義の対立だという立場をとって政治問題にしたことにある。問題は、西欧諸国による「表現の自由絶対支持」、イスラーム圏諸国による「イスラームに対する侮辱を許さず」という構図に落とし込まれた。

ほとんどのムスリムは、この風刺画をみていなかった。みるのも嫌だったのである。しかしデンマークをはじめ西欧諸国のメディアが、相次いで「風刺画」を転載して拡散させ、各国政府がそれを支持する姿勢を示したことに、世界のムスリムは激怒した。イスラーム圏諸国は、対応に苦慮した。民衆の怒りを放置すれば、早晩、各国の政権に怒りの矛先《ほこさき》が向かうことは明らかだった。そこで、イスラーム圏諸国の国連のような場であるイスラーム諸国会議機構(OIC、現在はイスラーム協力機構)の場に持ち込まれ、非難を決議することになった。

だが、結果としてデンマークの在外公館が暴徒に襲撃され、作者の画家が脅迫を受けることになった。そして、ムスリムとは暴力的な人間であり、イスラームは暴力的な宗教だという単

純な言説が西欧世界を覆いつくすようになっていく。

『ユランズ・ポステン』紙は、最初からムスリムを挑発する意図はもっていなかった。高度な表現の自由が保障されていたデンマークで、描くことを自粛する風潮に一石を投じようとしたのである。しかしデンマーク政府とイスラーム圏諸国の双方が、問題を政治化させたことで対立は決定的となった。デンマークでは二〇二〇年現在、リベラルから極右まで、イスラーム嫌悪を露にする政党が力をもっている。

そして、二〇一五年一月、フランスの『シャルリー・エブド』という風刺画を掲載する新聞社が襲撃され、一二人が犠牲になった。この新聞は、繰り返し預言者ムハンマドやイスラームを揶揄《やゆ》する内容の風刺画を掲載してきたことで知られていた。

『悪魔の詩』では作品の内容が預言者ムハンマドを侮辱しているとされ、一連の風刺画問題でも、預言者への冒瀆が問題の焦点となった。ヨーロッパ社会(広く西欧社会一般と言い換えてもよい)の側は、「表現の自由を尊重するヨーロッパ」対「表現の自由を制約する、あるいは認めないイスラーム」という対立の構図でとらえた。一方、ムスリムの側は、預言者ムハンマドへの侮辱をありえないことと反発する点では共通していたが、だからといってテロのような凶行を肯定する人びとはほとんどいなかった。

ヨーロッパをはじめ非ムスリム社会の側が、この問題で見落としていたことがいくつかある。その一つが、ムスリムにとって神の使徒ムハンマドへの敬意が途方もないレベルにあることに気づかなかった点である。超越的絶対者としての神を冒瀆することはもちろん許されないが、それ以上に、ムハンマドへの侮辱というのは想像を絶することなのである。

ムスリムではない立場でそれを説明するのはむずかしいが、ムスリムである一人の人間にとって、使徒ムハンマドがいたからこそ、彼または彼女が人間足りえたという感覚が共有されている。ムハンマドを侮辱することは、直ちに、彼らの人間としての存在を否定するに等しい。このたとえて言うならば、神の使徒ムハンマドはすべてのムスリムにとって「母」である。このたとえはムスリムにとっては妥当なものではないが、非ムスリムがムスリムという人間を知るうえでは、そう理解してもよいと私は考えている。

『シャルリー・エブド』が掲載した預言者ムハンマドの「風刺画」のなかには、裸体で寝そべるムハンマドに卑猥なセリフをつけたものがある。自分の母親をこのような形で侮辱されても、これは表現の自由だから耐えろというのは不可能である。ムスリムにとって、ヘイト（憎悪）表現以外の何物でもないことをヨーロッパ社会は軽視した。

したがって、表現の自由をめぐる一連の衝突を近代以降の西欧世界に定着した世俗主義、あるいは聖俗分離のコンテクストから読み解こうとしても、ムスリムにはまったく通じない。表現の自由が、使徒の冒瀆についても認められるという認識がないからである。

何が問題だったのか

西欧世界、とりわけフランスは、一九〇五年には「国家と教会の分離法」を定めて、公共空間に宗教が介入することを許さないという原則を打ち立てた。したがって、宗教を批判すること も、神を冒瀆することも、表現の自由のうちに含まれる。フランス共和国が、その原理を否定したり、制約を課したりすることはありえないし、する必要もない。

同様に、イスラーム的文脈のなかに読み解こうとしても、なぜ、激しく衝突したのかを理解することはむずかしい。これは風刺画問題に典型的なのだが、ムハンマドを描いたことが問題なのではない。描いたことで、偶像崇拝を禁じるイスラームの教えに反したかどうかは問題にならないのである。スンニー派のムスリムは、「ムハンマドの絵」と聞いただけで顔を背けてしまうが、シーア派の人たちは、ムハンマドの女婿にあたるアリーを崇敬していて、その肖像画や掛け軸を売っていることもよくある。宗教的な細密画のなかにも、天使の背に乗る使徒ムハンマドを描いたものがある。しかし顔は白い布で覆われて描かれている。なぜ白い布で覆って描かれたかというなら、そこに描いたものが、真にムハンマドを写したかどうか誰にもわからないからである。つまり偽物を描いて、それに信仰心を寄せることになれば、偶像の崇拝になってしまう。だから通常は描かないし、描かれたものから目を背けるのである。

だが風刺画問題は、このこととはまったく違う。描いてはならないもの、つまり偶像を描いたから怒りを買ったのではない。最初から、神の使徒を揶揄し、嘲弄《ちょうろう》する目的で描かれ、それを商品として流通させたことが、イスラームに対する冒瀆、ムスリムに対する挑発、つまりレイシズムと受け取られたのである。

この問題は、ムスリムにとって表現の自由にかかわることではありえず、完全なヘイトスピーチだった。ヘイトスピーチだったにもかかわらず、それが暴力的な反応を引き起こすことを想定しなかったのであれば、西欧社会の側はみずから犯した醜悪なヘイトクライムを軽視していたことになる。もちろん、それにテロや暴動で反撃したムスリムは、国家の法によって処断される。『シャルリー・エブド』事件の場合も、それ以外のテロ事件も、容疑者は射殺されることが多い。

その後、ヨーロッパ社会では、アッラー（神）の命令、すなわちシャリーアによって支配されているから、ムスリムは暴力を用いるのだという言説が力をもっていく。9・11以来、ムスリムがテロなどの暴力行為に出るたびに、「暴力＝イスラームの本質」論は強まっていったのだが、それは現在、後戻りできないところまできている。多くのムスリムは、そのたびに暴力の背景を説明し、暴力にうったえる信徒がわずかであると弁明した。しかしムスリム側の主張が、ヨーロッパ社会を動かすことはなかった。

こうして考えてくると、表現の自由をめぐる論争もまた、女性の被り物と同じく、ムスリムを排除するための道具だてだったのではないかと思えてくるのである。

変わっていくヨーロッパ

ヨーロッパ社会は、これらの事件を通じて二つの方向にわかれていった。厳格な世俗主義を共有しない人びと、言い換えれば敬虔なキリスト教徒のあいだでは、他者の信仰の侮辱はすべきでないと考える人も多かった。そこには、キリスト教徒として、キリスト教の諸価値や倫理を侮辱する無神論者への反発もあった。ユダヤ教徒の場合、さらに深刻で、過去に経験したユダヤ人への迫害を想起させたのである。

他方、神の冒瀆、神の使徒の冒瀆、聖典の冒瀆も含めて自由が認められるという極端な世俗主義を支持する人びとのあいだには、ムスリムの怒りに対して、嫌悪が増幅されていくことになった。
だが、ムスリムへの侮辱を抑制すべきだという世論は、すぐに弱まった。二〇一五年以降のヨーロッパ社会のキリスト教保守層は、イスラームにターゲットを絞って、使徒や聖典の冒瀆をも厭《いと》わない方向に進んでいる。ヨーロッパはキリスト教圏なのだから、ムスリムに居場所はない、というのである。

さらに宗教イデオロギーを含めて、あらゆるイデオロギーの押しつけがましさを嫌悪してきた頑強なリベラル派も、イスラームを嫌悪するようになった。

その彼らも、かつては「他者としてのムスリム」「異質な宗教としてのイスラームとその信徒」の存在に寛容な姿勢で接していたことを忘れてはならない。では、彼らは寛容の精神を失ったのだろうか？ 彼ら自身は、自分たちが寛容の精神を失ったのではなく、相手のムスリムが不寛容だから排除してしかるべきだと主張するのである。特に「表現の自由」に対して暴力で反撃したことは、ムスリム＝不寛容とみなすには十分な根拠となった。

ヨーロッパの伝統的な左派もまたムスリムへの嫌悪を表す。イスラームがジェンダーギャップを容認しているという批判が焦点となる。さらにはムスリム移民の母国が民主化を実現できず、ますます権威主義体制や独裁に接近しているために表現の自由が奪われているとして、厳しい非難を展開するようになっている。

しかし『シャルリー・エブド』襲撃事件の後、イスラーム世界諸国のメディアは、いっせいに暴力に抗議する姿勢を示した。そして同時に、神の使徒への侮辱、聖典への侮辱が許されないことも強調した。西欧世界とは異なり、イスラーム世界では無神論を肯定する人びとはごく少ない。ムスリム社会において、行動がイスラームの規範から外れている人間ならいくらでもいる。しかしそういう人にしても、積極的に神を否定する無神論者でない限り、自分がムスリムではないとは宣言しない。ムスリムではないというのは、人間ではないと言っているような感覚だからである。

2章　シリア戦争と難民

1　難民危機

イスラームとの断絶

二〇一五年のヨーロッパ難民危機でいったいどれだけの人がEUに殺到したのか？　さまざまな資料によると、およそ一三〇万人というところである。この難民危機は、ヨーロッパとイスラームとの関係を決定的に悪化させた。難民の急増は、ヨーロッパ各国の市民のあいだに強い不安をもたらしたのである。

その底流には、難民の多くがムスリムだったことによる「イスラームの脅威」がある。この不安は、二〇〇一年のアメリカでの9・11同時多発テロ事件により急激にヨーロッパ社会を覆った。二〇一〇年代に入ってアラブ諸国で民主化運動が相次いだが、既存の体制との激しい衝突を引き起こし、現在の内戦につながった。シリア、イエメン、リビアで国家が崩壊したことは、多くの難民流出の原因となった。ほかにも、かろうじて政府は機能しているものの、到底、安定には程遠いアフガニスタンをはじめエリトリア、エチオピア、南スーダン、ニジェール、マリなど、アフリカの国々からも人の流出は続いている。迫害から逃れた難民もいるし、将来の希望をもてない母国を捨ててヨーロッパをめざす人びともいる。彼らは移民と分類されることが多いが、状況からみて、難民なのか移民なのかを区別することはむずかしい。そして彼らの多くがムスリムだった。

この流れは、二〇二〇年に入っても変わっていない。アジアからトルコを通ってエーゲ海を渡り、ギリシャに抜けるルートは、トルコが二〇一六年三月後半からEUの要求で監視を強化してきたが規制をかいくぐって密航する人は後を絶たない。アフリカから地中海を経てイタリアなどに渡る難民と移民の流れも止まっていない。ヨーロッパの苛立ちは、この間、まったく緩和されることはなかったし、難民、移民、なかでも多数を占めるムスリムへの敵意は、もはや抑制が利かないレベルに達している。

この状況を決定的に悪化させたもう一つの原因は、中東の混乱に乗じて台頭した「イスラーム国」という恐ろしく急進的で暴力的な組織に共鳴するムスリムが、ヨーロッパ各地でテロを起こしたことによる治安悪化の恐怖である。実際には、テロリストがしばしばその場で射殺されているため、事件の背景については解明が進まないことが多かった。「イスラーム国」は事後に犯行声明や犯行に及んだ「戦士」を称える声明を出してはいるが、テロに至るプロセスには不明な点が多い。

国家秩序の崩壊と難民の奔流

当初、難民は船で地中海を渡って北アフリカからイタリアをめざした。北アフリカと書いたが、それは出航した地が北アフリカのリビアなどだったということであって、難民の出身地はアフリカの広い範囲に及んでいる。

二〇一五年になると、にわかに別のルートでの難民の殺到が注目されることになった。すでに、三〇〇万人以上の、主としてシリア難民を抱えていたトルコから、ついに袋の底が抜けてしまったかのように、エーゲ海を渡ってギリシャに向かう難民の奔流《ほんりゅう》が発生したのである。

アメリカ主導の有志連合軍が、テロ組織「イスラーム国」を空爆し始めたのは二〇一四年八月のことである。そして一五年九月には、ロシア軍がシリア内戦に参戦し、アサド政権に対すした。その結果、シリアは荒廃の極みといってよい状況にまで崩壊した。

ロシア軍だけではない。イランの革命防衛隊、イランに近いレバノンのシーア派軍事組織のヒズブッラーもアサド政権支援のためにシリアで戦闘を続けている。そして二〇一六年八月末には、トルコ軍がシリア北部のクルド武装組織、人民防衛隊(YPG)を掃討《そうとう》するためにシリア領内に進攻した(「ユーフラテスの盾」作戦。後出、図2-4参照)。シリア内戦は、もはや内戦ではなく、諸外国が介入する戦争となった。国連は、この戦争を止める機能を完全に失っている。欧米諸国がアサド政権に対する制裁決議案を提出しても、確実にロシアが拒否権を行使するからである。

二〇一九年までに、難民は約六六〇万人を超え、国内避難民と合わせると一三二〇万人以上が住処《すみか》を失い、追われた(UNHCR、二〇二〇年六月)。この悲劇を招いたのは、シリアのアサド政権が反政府勢力との戦いを一貫して「テロとの戦い」と主張したからである。テロとの戦いならば、テロリストを掃討するべきなのだが、シリア政府軍は反政府勢力が実効支配した地域を丸ごと空と陸から攻撃した。

トルコには難民が殺到し、もはや抱えきれない状況になっていた。二〇一五年の早い時期から、トルコ西端のイズミールに難民が集まり、そこから沿岸部のギリシャ領の島に密航するようになった。

二〇一五年だけが難民危機の年ではない

国連難民高等弁務官事務所（UNHCR）によると、二〇一二年には二三万人だったシリアからの難民は、一年後には二〇〇万人に増えていた。当然のことながら、彼らはまず隣国のレバノン（シリアの西）、ヨルダン（南）、トルコ（北）に逃れた。この時点では、レバノンが多い。難民の数を把握するのは困難で、UNHCRは二〇一二年一一月のリポートでは、すでに約五一万人の難民がおり、毎日三二〇〇人が難民となっていると緊急の警告を発していた（以下、概数）。

その時点での内訳はレバノンが一五万四〇〇〇人、ヨルダン一四万三〇〇〇人、トルコ一三万六〇〇〇人、イラク六万五〇〇〇人などとなっている。そして二〇一三年に入ると一月から三月までに四〇万人、合計で一〇〇万人を超えたといわれる（以下、特に断らない場合、難民の数はUNHCRによる）。このころまでの難民は、主としてアサド政権による空爆の犠牲となった人びとである。

二〇一四年前半、シリア難民は三〇〇万人に達し、レバノン一一七万人、トルコ八三万人、ヨルダン六一万三〇〇〇人、イラク二一万五〇〇〇人となっている。この時点でイラクへ逃れたシリア人が急増したのは、六月に「イスラーム国」が誕生したため、アサド政権による攻撃に加えて「イスラーム国」が支配したラッカ、激しい戦闘が続いたアレッポから逃れる人が急増したからである。

二〇一五年七月九日付けのイギリスの新聞『ガーディアン』は、国連の推計としてシリア難民が四〇一万三〇〇〇人に達し、死者は二二万人に達したと報じた。逃れた先は、ここでトルコが最多となる。トルコが一八〇万五〇〇〇人、レバノンは一一七万三〇〇〇人、ヨルダン六二万九〇〇〇人、イラク二五万人、エジプト一三万二〇〇〇人、その他、中東諸国二万四〇〇〇人。ヨーロッパ諸国では、すでに二七万人が庇護を求めていた。

難民がヨーロッパ諸国に奔流となって流入していくのは二〇一五年のことである。シリアの北の隣国トルコからエーゲ海を渡ってギリシャの島に流れ着き、そこからギリシャ本土を経て、マケドニア（現在は北マケドニア）、セルビア、ハンガリーと進むのが最初の流れだった。ハンガリーの首都ブダペストの東駅に難民が滞留して惨状を呈したのも、このころである。欧州委員会は、二年間で一二万人程度の難民に保護を与える心づもりでいたのだが、数カ月を待たずに、この数字があまりに小さく見積もられていたことに気づく。その年にEUに殺到した難民は一三二万人に達していたのである。

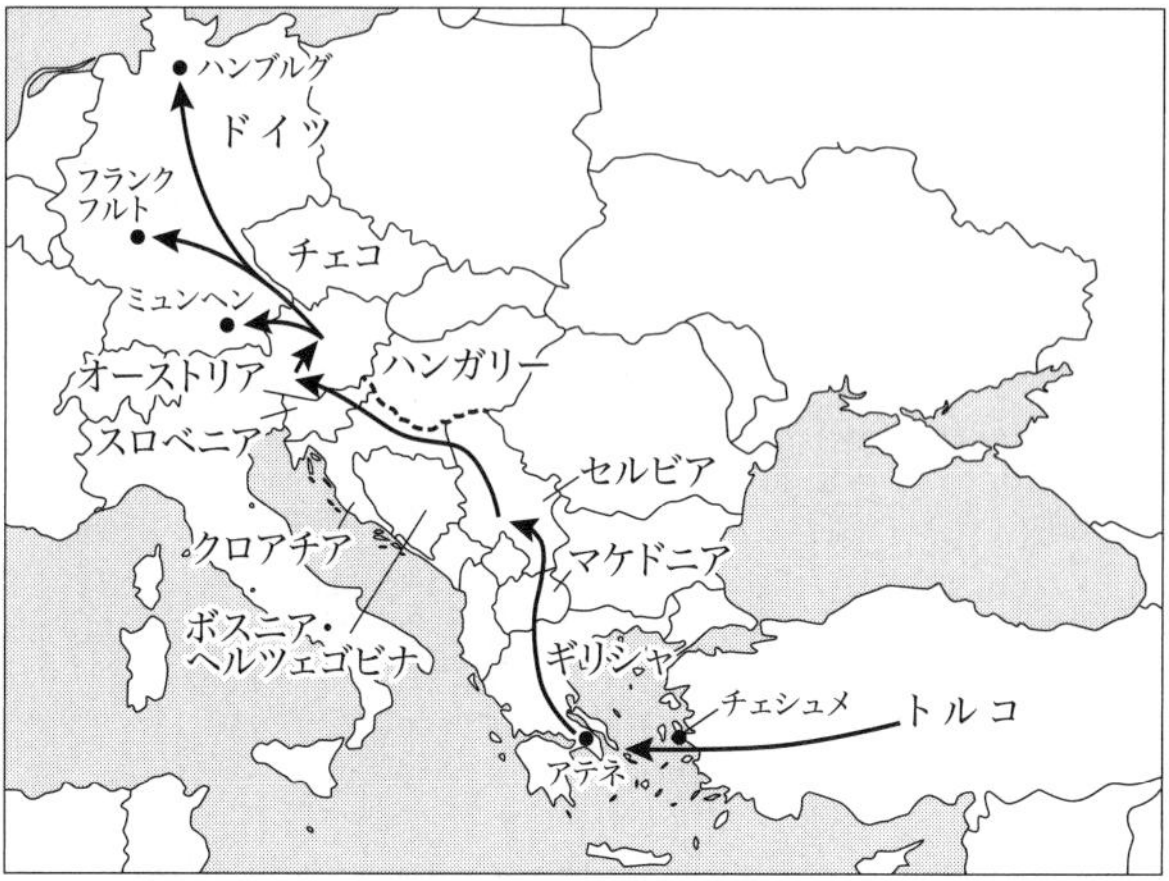

太線は難民のたどった道
‐‐‐はハンガリー政府がフェンスを張った国境

出典：UNHCRとBBCが作成したものに筆者加筆.
図2‒1　トルコからヨーロッパへの難民流出の経路

難民たちが国境を次々に踏み越えていくなかで、ギリシャの次のＥＵ加盟国はハンガリーだった（図２‐１）。マケドニアとセルビアはＥＵに加盟していない。そのため、当初、ハンガリーに滞留する難民が急増したのだが、オルバーン・ビクトル首相は、ドイツとＥＵに対して怒りを露にした。彼の政権は、後に、排外主義的だと厳しく批判されたが、このころの状況を考えれば、難民受け入れに関して、ＥＵ加盟国間で何ら共通の認識をもっていなかったことが問題であり、ハンガリーだけを責めることはできない。九月に入ると、ハンガリーはセルビアとの国境を閉鎖し、一六〇キロメートルにわたってフェンスを築いてしまう。

ギリシャは、財政再建の途中で、難民たちはそこに留まろうとは考えていなかった。国際移住機関(IOM)によれば、二〇一五年前半だけで二五〇万人がギリシャに到達している。そのうち難民登録をしたのは、わずか三五四五人だった。

ハンガリーが規制を強化するなかで、難民たちの目的地は、ドイツ、スウェーデン、オーストリアの三国に集中するようになっていく。ドイツはEUの経済大国として知られていた。スウェーデンはクルド人難民を受け入れてきた歴史から、北シリアとイラクのクルド人が最終目的地としたものと思われる。オーストリアについては、すでに排外主義が強まっていたので、なぜ目的地として人気があったのかはわからない。

対照的なのは、アラブ諸国だった。エジプトは数万人を受け入れていたが、シーシー政権のもとでも経済は低迷を続けており、到底、難民を受け入れる余裕はなかった。アラビア半島の産油国も、二〇一五年時点ではサウジアラビア、クウェート、カタール、バハレーンは、ほとんど受け入れていない。アラブ首長国連邦(UAE)だけが二五万人を受け入れるという積極策をとったが、安価な労働力として使うためである。これらの国は、そもそも一九五一年の難民条約に参加していないため、難民受け入れに対してひどく消極的だった。それに、これらのアラブ産油国における外国人労働者の処遇が酷かったことは広く知られていたので、難民の奔流は、西ヨーロッパをめざすことになったのである。

二〇一五年九月、エーゲ海岸の街にて

二〇一五年の難民危機は、世界の注目を集めた。だが、正確に言うと、当事者のシリアの隣国とヨーロッパ諸国を除くと、最悪の人道危機による難民の奔流に対する世界の関心はひどく低いものだった。九月二日、トルコ南西のボドルムという観光地の浜辺に幼い男の子の水死体が漂着した。ボドルムからギリシャ領のコス島までは五キロメートル程度である（後出、図2–2）。お金《かね》のある難民なら水上バイクで数分で渡れたが、一人あたり二〇万円から三〇万円を要求されたという。アラン・クルディ君というこの子の写真が世界に流布すると、その瞬間、世界は難民問題を「発見」したのである。日本でもそうであった。アラン・クルディ君の死を報じたトルコの新聞、見出しは「良心はどこだ？」、「世界よ、恥を知れ」と一様に世界の関心の低さを非難するものであった。

その日、私は滞在中だったトルコ西端のチェシュメという町から、日本の放送局の求めに応じて生中継で状況を解説した。

自分が立っているところのすぐ下の浜辺からは、毎日のように密航者が向かいのギリシャ領キオス島に向かっていた(後出、図2-2参照)。直線距離ではわずかに一二キロ程度で、高速船なら二〇分で着いてしまう距離なのだが、ろくなエンジンも搭載していないうえに定員の三倍以上を詰め込んでいる難民の密航船は、しばしばエンジンが止まって浸水し、沈没した。その年、トルコの西海岸からギリシャに渡ろうとして亡くなった人の数はトルコ内務省の発表では八〇六人だったが、誰にも正確な数字はわからない。

途中でボートが沈没するだけではない。船頭がついている船は高い料金を取ったのだが、夜明け前に難民を上陸させ、ここがギリシャだと嘘をついて再びトルコ側に戻す詐欺、夜中に浜で待てと指示されたものの船がこなかったという詐欺。多くの人がここまできて、最後のところで騙されて所持金を失ったのである。二〇一五年八月に聞いたときには、ゴムボートに船外機付きで一人一〇万円から一五万円を要求されていた。家族全員で逃れてきた人たちにとってこれは賭けだった。騙されるか、失敗すれば、次はないという人たちも多かったのである。

彼らはトルコ西部最大の都市イズミールで手配師と接触する。手配師は、難民をいくつかの町にミニバスやタクシーで送り込む。そこで、何時にどこでギリシャ行きのボートに乗せるかを決めるのである。難民たちは夕方になるとイズミールの中心部にあるバス会社の前に集まってくる。ここでバスやタクシーに乗って、密航業者が手配したボートが出るエーゲ海岸の町に向かった。荷物には粗悪なライフジャケットや浮き輪も入っていた。

写真は難民の親子である。この後、漆黒の夜の海に漕ぎ出すという大変な困難が彼らを待ち受けていた。ギリシャの島にたどり着いた人、途中でボートが沈没して命を落とす人、漂流してトルコ側に流れ着く人、希望の旅路は、しばしば絶望の航海に変わった。

イズミールで出会った難民たちは、みな期待に胸を膨らませていた。よそいきのドレスを着た女の子の姿もあった。あらゆる衣料品は、NGOの倉庫に行くと無償で提供してもらえた。メーカーや衣料品店は、こぞって新品を難民のために提供していたのである。

イズミールのバスターミナルで出会ったシリア難民の親子(著者撮影，2015 年 9 月)．

とても真夜中に漆黒の海を渡る姿ではなかったのだが、とにかく、これまでの辛い、悲しい記憶をシリアとトルコに置いて、人権の先進国ヨーロッパに行って生活するんだ、勉強するんだと期待に燃えていた。

泳ぎの心得のあるシリア人は、ほとんどいない。幼い子どもを連れている母親は、それから数時間にわたって「死の航海」の恐怖を味わうことになった。救命胴衣はイズミールの町でいくらでも売っていた。オレンジの救命胴衣には日本の有名企業のロゴが印刷されているのだが、すべて偽物で、中身は発泡スチロールだった。市は販売を禁止したが、業者は黒いビニール袋に入れて、中身をみえないようにして売りまくっていた。なかには粗悪な浮き輪を持っている人も多かった。それでボートにつかまってギリシャに渡るのだという。しかしエーゲ海の水温は低く、沿岸でも二五度前後である。数時間も水に浸かっていれば、低体温症で命の危険にさらされることになる。

私が滞在していたチェシュメは、イズミールから一〇〇キロほど離れたエーゲ海岸にある。早朝に地元のバスターミナルに行くと、大勢のシリア難民がいた。全員、密航業者に騙されてギリシャ側に渡れなかった人たちで、もう一度、イズミールに行って元締めの業者を探し出して金を返してもらうか、仕切り直しの交渉をさせるのだという。悪質な業者が、雲隠れしていないことを祈るような気持ちであった。

冬のあいだ、このエーゲ海密航ルートは危険性が高いので難民の渡航も減った。エーゲ海では冬は南風のロドス、夏は北風のポイラーズが吹く。風向きは一定なのだが、流されやすい。おまけに冬は、強風と悪天候で海が荒れる。三月を過ぎて夏が近づくにつれて密航者は急増し

表2-1　2015年にヨーロッパ諸国に庇護申請した難民の出身国別統計

	総数(人)	庇護申請者に占める割合(%)
シリア	378,000	29
アフガニスタン	193,000	15
イラク	127,000	10
コソボ	68,000	5
アルバニア	67,000	5
パキスタン	47,000	4
エリトリア	46,000	3
ナイジェリア	31,000	2
イラン	27,000	2
ソマリア	21,000	2
ウクライナ	21,000	2
セルビア	19,000	1
ロシア	19,000	1
バングラデシュ	18,000	1
ガンビア	13,000	1
他	230,000	17
計	1,325,000	100

出典：Pew Research Center.

ていたのだが、二〇一六年三月一八日、EUとトルコは難民流出の抑制について合意し、規制を強化したため、海を渡る密航者の数は激減した。

ドイツへ

この難民の奔流は二〇一五年九月になると、ドイツ政府が彼らを受け入れる意向を明らかにしたため、さらに巨大な流れとなった。しかし、その前からトルコ→ギリシャ→ヨーロッパ各国という流れは存在していたので(図2-1)、必ずしも、メルケル首相の「難民受け入れ発言」(九月四日)だけが危機を招いたわけではない。危機は、シリアの内戦、イラクとシリアでの「イスラーム国」の台頭、タリバンの猛攻によって危機が深刻化したアフガニスタンなど、中東から西南アジアにかけての秩序崩壊が原因なのであって、メルケル首相にヨーロッパ難民危機の責任を押しつけることはできない。当時の難民の内訳は、表2-1にあるようにシリアからが最大だが、アフガニスタン、イラクがそれに次いで多い。

四位以下はコソボ、アルバニアという東ヨーロッパの国が続き、さらにはパキスタンが、そして以下はアフリカのエリトリア、ナイジェリア、中東からイラン、アフリカからソマリアとなるとあまりに流入者の構成が複雑で、果たして彼らをすべて難民とみなせるのかどうかは疑問が残る。だが、二〇一五年の難民危機だけをとってみても、彼らの大半がムスリムなのは明らかである。

ドイツ社会はどのように認識していたか

二〇一五年、ヨーロッパに一三〇万人の難民が押し寄せたことは世界を震撼させた。言うまでもなく、難民の発生を抑止しなければ危機は終わらない。しかし、難民発生の最大の原因であるシリア戦争(内戦)は一〇年近く経ても終結できない。ここでは、何が最悪の人道危機を引き起こしてきたのかを考えることにする。

その前に、私が二〇一七年三月にベルリンを訪れたときに感じたことに触れておきたい。ベルリン市議会で、極右とされる「ドイツのための選択肢」（ＡｆＤ）の議員と議論した。彼らは、ドイツに殺到した難民は不法移民であると主張した。ギリシャから、ヨーロッパ諸国（ＥＵ加盟国はギリシャ、ハンガリー、クロアチア、スロベニア、オーストリア）を経てドイツにやってきたが、ＥＵ加盟国市民でもないのに、勝手に国境を踏み越えて侵入した不法移民だというのである。

私は、彼らに尋ねた。「ヨーロッパ諸国に到達してからのことが、仮にあなたの言うとおりだとしても、その手前で彼らはどこにいたのか？」。彼らも、「不法移民」がギリシャに到達する前にトルコにいたことは知っていた。

私はさらに尋ねた。「では、そもそも『不法移民』の多くは、なぜトルコにいたのか？　シリアでの内戦を逃れてのことではなかったのか？」。ＡｆＤの議員も、それを認めた。「それを認めるのならば、トルコにいたときの彼らは難民ではないか？」。そこで彼らは沈黙した。

同じ人間が、戦火のシリアを逃れてトルコに暮らしているあいだは「難民」であり、ヨーロ

ミュンヘン市内の公園に集まる難民たち．中東では，夏の夕暮れには人が公園などに集まってくる．その習慣どおり，ミュンヘンの公園にも難民の家族連れが集まっていた（著者撮影，2016年9月）．

ッパの領域に入ってくると「不法移民」になるとしたら、おかしな話である。難民排斥のレトリックには、ヨーロッパの域内と域外とを差別する意識が潜んでいるのである。

「うち」と「そと」をわける意識というものは、今日、ヨーロッパ中に強まっている。一国を単位として「うち」なる国民の利益を強調するナショナリストはもちろん昔からいるし、度が過ぎると彼らは「極右」と呼ばれてきた。しかし、このＡｆＤの理屈は、それとは少し違う面をもつ。一国ナショナリズムも強調するのだが、同時に、ＥＵの「うち」と「そと」の境界を強調する。ヨーロッパ共通の文化と価値を強調するのである。それがどこまで本音なのかわからないが、少なくとも、移民や難民、とりわけムスリムは文化と価値観が異なるゆえにヨーロッパに存在すべき人間ではないと断じるのである。私には、ＥＵの外縁を外堀、一国の国境を内堀にして、二重に分断を強化しているように思えてならない。

この点は、現在ヨーロッパに広範に出現しているポピュリストの政治運動に共通している。国境を越える人びとが難民条約による定義に該当するか否かではなく、彼らが「不法移民」であると断定することによって排除の主張を重ねるのである。

次に、今度はドイツ連邦議会の社会民主党（ＳＰＤ）の下院議員と話した。二〇一五年九月に、メルケル首相が「ドイツはシリア難民を受け入れる責任がある」との決定を下したことについて、連立するＳＰＤに事前に相談があったのかを尋ねた。メルケルの党はキリスト教民主同盟（ＣＤＵ）でＳＰＤと連立を組んでいる。

だが、答えは意外なもので、ＳＰＤに対して難民受け入れが何をもたらすか、十分な説明はなく、メルケル首相自身が決めてしまったというのである。

それでも大きな政治問題にならなかったのは、ドイツ経済が好況を呈していたためだという。ヨーロッパへの難民の殺到は「ヨーロッパ難民危機」と呼ばれていたが、ドイツ社会も含めて、それがなぜ起きたのか、特に中東諸国の内戦とどう関係していたのかについては、よく知らなかったのである。

ダブリン規約の一時停止

二〇一五年八月二五日に、ドイツ連邦移民難民庁（BAMF）が「ダブリン規約」（Dublin Regulation）を一時停止した。EU諸国とスイス、アイスランド、リヒテンシュタイン、ノルウェーが参加するこの規約は、難民保護のため加盟国間の連携を図る趣旨でつくられたもので、一九九七年に最初の規約が発効した。

「シェンゲン協定」が加盟国間の国境検問を廃止し、EU加盟国市民の移動の自由を保障したのに対して、ダブリン規約はEU域外から来る難民について、その身元を調査・管理し、人身売買や加盟国間での「たらい回し」のような人権侵害を回避することがその趣旨だった。それに従えば、難民は最初に上陸した加盟国で難民申請（庇護《ひご》の申請）をするものとされ、その国が難民申請を受理することになっていた。要点は、受理された国から他の国に勝手に移動した場合、最初に難民申請をした国への送還も可能だという点にある。

ダブリン規約の一時停止は、ハンガリーでの難民への処遇をめぐる緊張を緩和させるためであった。シェンゲン協定圏内の国であるハンガリーには、セルビアを経由して多くの難民が流れ込んだ。ハンガリーにしてみると、ダブリン規約に従って彼らを第一上陸地点に送還するとなると、EUに入っていないセルビアでもマケドニア（現在は北マケドニア）でもなく、ギリシャに送り返さなければならない。しかし、厳しい財政再建を強いられていたギリシャへの送還は現実的でなかった。

ハンガリーのオルバーン政権は、難民の無秩序な流入に強く反発していた。そのためドイツ政府は、ハンガリーで難民に対する暴力的な措置が講じられることを懸念していた。九月初め、オーストリアへ向かう鉄道が出ているブダペストの東駅に難民たちが殺到し、緊張が高まっていた。「ハンガリーで登録していない難民はドイツに入国することができる」というツイートがBAMFから流れたことが難民のあいだに瞬く間に伝わり、ハンガリーからオーストリアに脱出しようとする人びとが続出したのである。

ドイツがダブリン規約の一時中断を宣言したということは、ドイツに入国する以前で難民申請したかどうかによらず、ドイツが他国に送還しないということを意味した。言い換えれば、難民はみなドイツで難民申請をすればよいということになるから、最終目的地をドイツとする難民が殺到したのである。

九月にハンガリーが通過を拒否すると、今度は西に迂回《うかい》してクロアチアに入り、北上してスロベニア、オーストリアを経てドイツに至った。これに対し、国境を無断で踏み越えたとして各国から強い不満の声があがった。

スロベニアを通って

難民が通過した国の一つに、スロベニアがある。ハンガリーを通れなくなった人びとが、西のクロアチアに迂回したのだが、ドイツに向かうには北のスロベニアを通ってオーストリアに抜け、そこからドイツ南部バイエルン州の州都ミュンヘンに到達するのが主要なルートとなった（前出、図2―1）。

スロベニアは人口二〇〇万人しかいない小さな国である。かつてユーゴスラビアの一部だったが、いち早く独立し、EUへも、二〇〇四年には加盟を果たしている。クロアチアとの国境から膨大な数の難民が畑を踏み越えて入ってきたとき、近隣の村人たちは驚愕《きょうがく》したという。政府も困惑し、全国の警察官を国境に集めて、彼らを速やかにオーストリアに移送するための手はずを整えた。

小国のことゆえ警察官も五〇〇〇人しかおらず、全国から動員しても足りないため、クロアチアやイタリアの警察官も応援に来たという。畑のあいだを進んでくる難民たちの姿をみたときの、地元の人たちの動揺と不安はよく理解できる。見たこともない人びとが、とつぜん押し寄せてきたのだった。

実際には、難民はほとんどがスロベニアを通過しただけで、その後、ＥＵによる割り当てで受け入れた難民もほとんどいない。しかし、二〇一八年の総選挙では、難民受け入れに批判的な政党が第一党となった。隣国のハンガリーをはじめ、チェコ、スロバキア、ポーランドなど、東ヨーロッパのＥＵ加盟国で軒並み排外主義が台頭してきたことの影響を、受け始めたのである。

密航ルートで亡くなる人たち

ドイツの決定が、トルコに滞留していた難民を大々的に引きつけたことに疑いの余地はない。先にも書いたように、二〇一五年九月、トルコ西海岸のイズミール近郊に集結した彼らは、口々に「メルケル首相が歓迎すると言ったんだ。だからドイツに行く」と語っていた。

シリア人だけでなく、イラク、アフガニスタンなどの出身者もトルコ西部に殺到していた。そこに密航業者が急増し、トルコ西南のボドルムからはギリシャのコス島へ、チェシュメからはキオス島へ、アイワルクからはレスボス島へといくつもの密航ルートが形成されていた。

図2-2をみてほしい。

トルコとギリシャとのエーゲ海での境界には一つの特徴がある。トルコの沖合といっても、

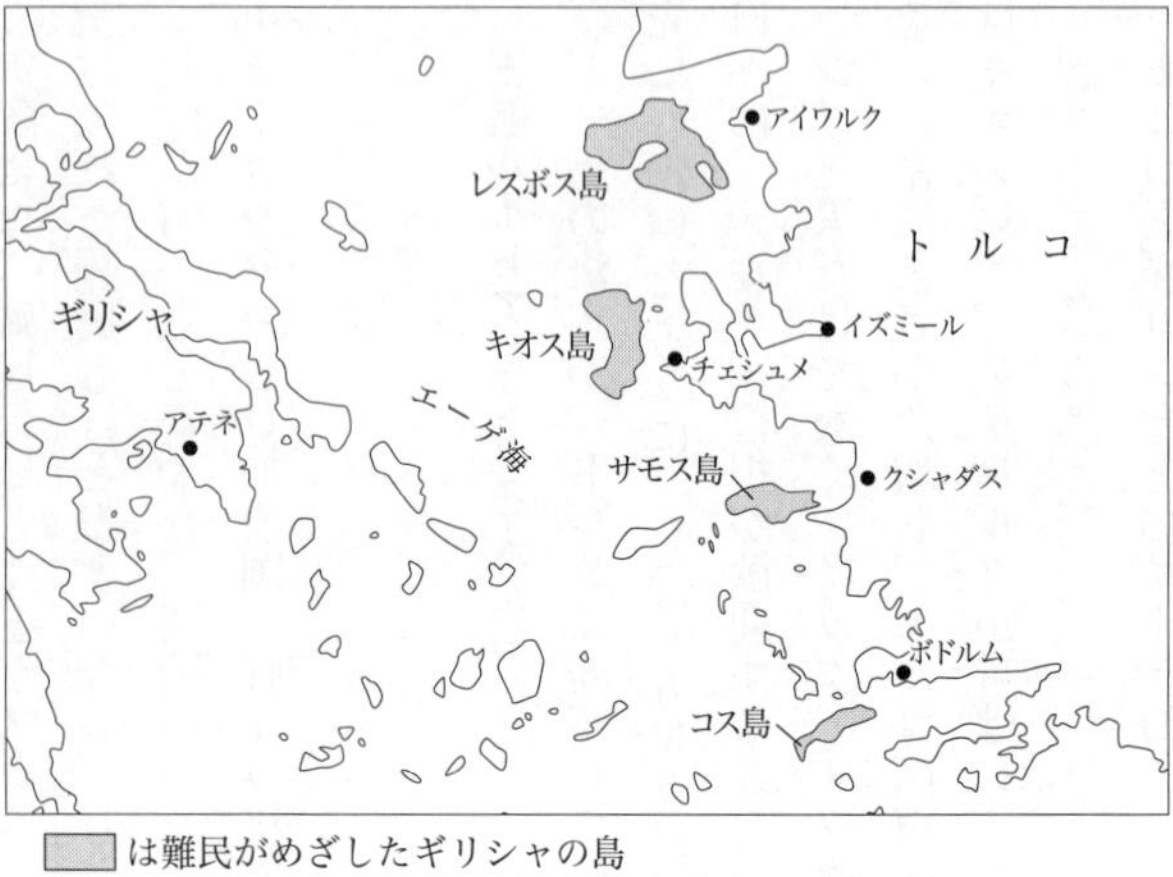

図 2–2　トルコの目の前はギリシャ領の島々

せいぜい一〇キロ近くの沿岸の島まで、あらかたギリシャ領となっているのである。つまり海の国境線はトルコの陸地にずっと近い。

これは、前身のオスマン帝国が第一次大戦で敗れて大半の領土を失った後に、今のトルコ共和国の独立が達成されたためである。沿岸の島の多くは、それまでギリシャ系住民とトルコ系住民とが何世紀にもわたって共存していた。だが、ギリシャ領となったことでトルコ系住民は本土に移り、逆にトルコ本土側にも数多く暮らしていたギリシャ系住民が、エーゲ海の島とギリシャ本土に移住する住民交換がおこなわれた。

トルコ本土の目の前はギリシャ領となり、EUの領域となった。簡単なゴムボートで続々とヨーロッパに渡ることができたのは、そのためである。

2　難民問題の原点

隣国への難民の殺到

難民危機の原点は、シリアをはじめ中東地域の秩序崩壊にある。ここでは、途方もない数の難民と国内避難民を生み出したシリア内戦について、書いておかなければならない。

シリアでの戦争は「内戦」と呼ばれてきた。だが、ロシアとイランは直接的にアサド政権への軍事的支援をおこない、トルコは反政府勢力を、アメリカは「イスラーム国」と戦うクルド武装組織の人民防衛隊（YPG）とその政治部門である民主統一党（PYD）を支援している。外国政府とその軍が直接的に介入しているために、多国間の戦争がシリアという国でおこなわれていることになる。このことが最悪の人道危機を招いた。

誰がシリアから膨大な数の難民を発生させたのか？

最大の責任はバッシャール・アサド大統領の政権にあることに疑いの余地はない。だが、これも多様な国が介入しているため、どの立場から見たかによって難民発生の責任者が異なるかのように語られてきた。

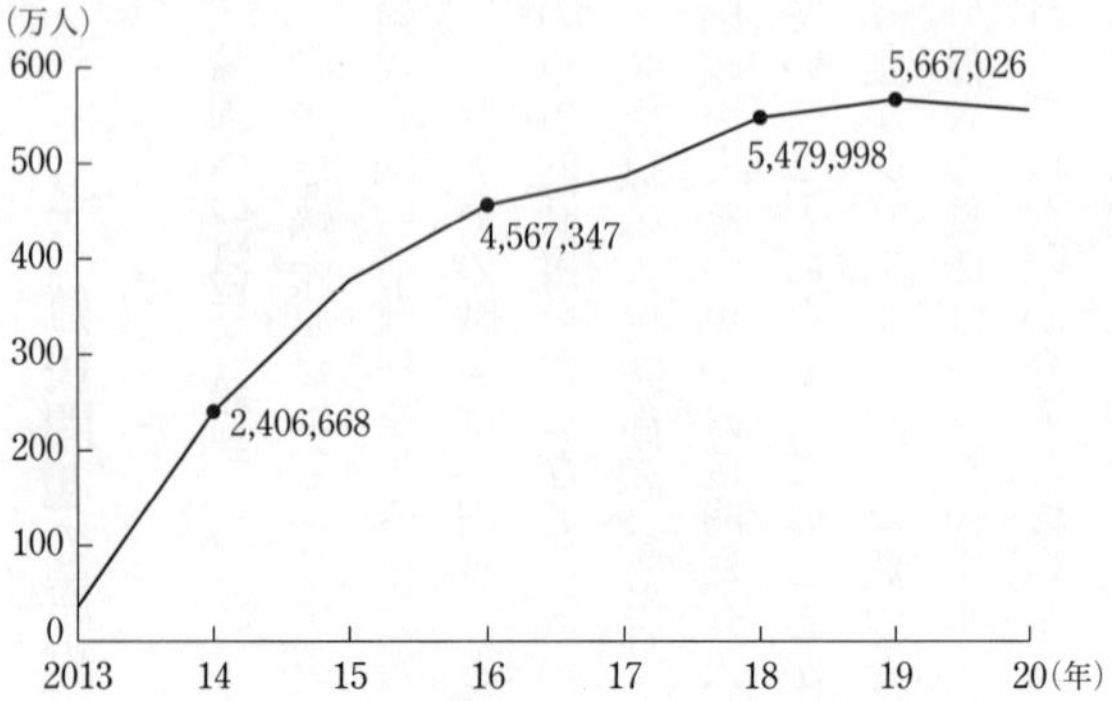

出典：UNHCR，トルコ内務省のデータより筆者作成．
図 2-3　シリア難民の人数の年ごとの変化(各年１月)

二〇二〇年六月一一日にＵＮＨＣＲが発表したシリア難民の総数は、ヨーロッパ等で受け入れられた人を除くと、五五四万四〇〇〇人であった(図2-3参照)。滞在している主な国ごとの人数は、おおよそ以下のとおりである。

トルコ　三五八万五〇〇〇人／レバノン　八九万二〇〇〇人／ヨルダン　六五万七〇〇〇人／イラク　二四万七〇〇〇人／エジプト　一三万人(ＵＮＨＣＲ、トルコ政府による)。

アサド政権と「アラブの春」

アサド政権のシリアは、中東でロシアが影響下に置く唯一の国である。そして、二〇一一年、この国にもチュニジアやエジプトでの民主化運動「アラブの春」が波及した。その後、二〇二〇年にいたるまで、バッシャール・アサド大統領の政権は抵抗する反政府勢力はすべて「テロ組織」として断固壊滅させる姿勢を崩さない。支援するロシアとイランも、まったく同じ姿勢をとって欧米諸国との妥協を拒絶している。そのために、未曽有の人道危機と最悪の難民・国内避難民を出しながら、世界はシリアでの「戦争」を放置することになったのである。

二〇一一年三月、シリア南部のダラアで始まった政権に対する民主化と自由の要求は、しだいに広がり、それに対する政権側の弾圧も苛烈《かれつ》をきわめていった。SNSによって世界の情勢が瞬時に共有されている時代に、書き言葉として共通のアラビア語をもつ人びとは、チュニジアで何が起きているのか、エジプトで何が起きているのかをすぐに理解した。シリアの若い世代にとって、「アラブの春」はまたとない解放のチャンスと映ったのかもしれない。しかし、恐怖の統治のノウハウとそれを実践する組織は、父のハーフィズ・アサド大統領の代から連綿《れんめん》と受け継がれていたのである。

世界最悪の人道危機に陥ったシリア

二〇一二年から一三年にかけて、中東の情勢は一気に悪化した。「アラブの春」などという期待を込めた空気は消え去った。シリアでの反政府運動が、内戦の様相を呈していることを国連幹部が認めたのは一二年六月のことだった。シリア国内の反政府勢力の一つは自由シリア軍だった。これはシリア政府軍から離反した軍人や兵士が中心になっていて、イスラーム色はなかった。内戦が激化するにつれて、そこに、地元、外国からのジハード組織が加わっていく。

アサド政権を民衆抑圧の敵というよりも「イスラームの敵」として打倒しようとする組織が、いくつも登場して内戦は泥沼状態となった。北部のアレッポや北西部イドリブ、そして首都ダマスカス近郊まで反政府側が支配する事態となり、アサド政権は徐々に劣勢に立たされていく。そこで反撃のために盛んに使われたのがドラム缶に爆薬や鉄の玉を詰めこんだ「樽《たる》爆弾」だった。この安価で技術もいらない汚い兵器は、市民の頭上から投下され、大音響とともに爆発し、一瞬にして集合住宅を破壊した。シリアの住宅は、基本的に壁がレンガの積み重ねでできているので容易に崩壊した。瓦礫《がれき》の下に埋まった家族を掘り出そうとする人びとの姿は、誰がこの内戦での膨大な犠牲者に対して責任を負っているかを明確に示していた。それはアサド大統領自身だったのである。

二〇一三年八月には、もう一つの凄惨な事件がシリアで起きた。アサド政権軍が化学兵器を使って首都周辺の反政府側支配地域を攻撃したのである。オバマ大統領はシリアへの軍事介入を検討したが、議会にはイラク戦争への反省から軍事介入をためらう空気が強く、結局見送られた。イギリスもイラク戦争の轍を踏みたくなかったためオバマの攻撃要請に同意しなかった。フランスだけは軍事介入も辞さない姿勢だったが、アメリカの見送りによってそれもなくなった。結果的に、ロシアの仲介でアサド政権は化学兵器の全廃を約束し、化学兵器禁止機関（OPCW）の査察を受け入れることになった。そして欧米諸国はシリア内戦に介入しない姿勢を明らかにしていったのである。

こうして、シリアから北の隣国トルコ、西の隣国レバノン、南の隣国ヨルダンに難民が流出し始めたのである。

二〇一四年三月、私は同志社大学のプログラムでトルコとシリアの国境に近いトルコ側のキリスという町を訪れた。難民たちと話をすると、誰もが「樽爆弾」の恐怖を語った。女性たちは身体が硬直して、何も話せなくなってしまった。私は、なぜ逃れたかを尋ねた自分を深く恥じた。子どもたちは、親や兄弟を失い、トルコ側が用意した仮設の学校で勉強していたが、表情というものがなかった。

この時点で、まだ「イスラーム国」はキリスの近くのシリア領を制圧していなかった。「イスラーム国」が住民に冷酷な仕打ちを始めるのは、この後のことだから、二〇一四年三月の時点でトルコ側に流出していた七〇万人以上の難民は、アサド政権の空爆による犠牲者だったのである。

キリスの町では、工場の一角や安い住宅に肩を寄せ合うようにして難民が暮らしていた。難民用のキャンプも郊外に設置されていた。国境の反対側は反政府側の自由シリア軍支配地域だった。トルコは自由シリア軍を支援しているから、国境の通過は自由だった。トルコ側の世論も、隣国の住民が政権軍に攻撃されて家や家族を失っている状況に同情的だった。困っている人に軒先を貸し、とりあえず食べられるようにすることは、イスラーム的道徳の根本である。

このことは、難民危機によって排外主義勢力が急激に台頭したヨーロッパと比べると大きな違いである。困っている人を鞭打《むち》つような行為は、イスラームでは罪悪である。ふつうのトルコ市民の感覚としては、困っているのだから仕方ないというものであった。トルコでもヨルダンでもレバノンでも、組織的な難民排斥の運動は起きていない。

一方、難民たちは働かなければならない。安い賃金で雇われ、子どもたちも働くことで、なんとか生活を続けている人は多い。少しずつビジネスを始める人たちもいる。シリア人というのは、中東でも、商業の民として知らている。

トルコで難民が最も多いのはイスタンブールである。なかでもアクサライ地区では、いまやトルコ料理店よりシリア料理店のほうが多いかもしれない。もともと、似た料理だからさして違和感もなく、すぐに始められる商売が料理店だったのである。

アクサライのシリア料理の店で興味深い経験をしたことがある。大学の同僚のパレスチナ人と一緒に夕食を食べていると、きれいに着飾った一人の少女が近づいてきた。同僚は、他の客の娘だと思ったのか、何も警戒していない。花束でも持っていれば、売りに来たとすぐにわかるのだが、それもない。ただ、親しげに近づいてきたのである。少女は、実にさりげなく同僚の携帯電話に手を伸ばしていた。私はすぐに同僚に注意したので盗まれることはなかったが、失敗したとわかると、彼女は何事もなかったかのように他のテーブルに移動していった。同僚は、あっけにとられていたが、叱るでもなく、文句も言わず、ただ黙っていた。

難民の子どもたちはトルコに来た当初、「仕事」をするときには汚い服で貧しさをアピールしていたし、哀れを誘う姿で市民や観光客にまとわりついて金をせがんだ。しかしそれから数年経つと、それでは仕事にならないことを知った。店から追い出されないよう、家族と食事を楽しみに来たかのように着飾って登場し、高価なスマートフォンなどをさっと持ち去るようになっていた。まだ、一〇歳にも満たない子どもたちである。堂々としていて、誰も不審に思わない身のこなしであった。その「ビジネス」の才と子どもながら見事な自立心に感心もしたのである。

EU二八カ国(ブレグジットでイギリスが離脱する前)が、束になっても一三〇万人の難民を処遇できず、ヨーロッパにムスリムは要らない、彼らは難民ではなく不法移民だと不平を鳴らしているあいだ、隣国は、黙って困窮する彼らを受け入れてきた。二〇二〇年一月には、トルコにいるシリア難民はイスタンブールだけでも四八万人を超えていると、トルコ内務省は発表した。

アサド政権とは

難民は多くが家を破壊され、戦闘に巻き込まれたことで居住地を離れたのだが、そもそも内戦の主体となっていた勢力のなかで空軍力をもっていたのはシリア政府軍だけである。イギリスの新聞『インディペンデント』は人権監視団体の報告として、二〇一六年の一年間に一万三〇〇〇発の「樽爆弾」が投下されたと報じている。その前の一五年秋からは、ロシア空軍も加わって、ミサイルや爆弾によって激しい攻撃を繰り返してきた。

アサド政権側は、大統領自身、この汚い爆弾を投下していないとの主張を繰り返したが、自由シリア軍にせよ、あらゆるジハード組織にせよ、また「イスラーム国」にしても空軍力をもっていないため、他のどの勢力も「樽爆弾」を投下することはできないから、この主張は成り立たない。アサド政権側とこれを支援するロシアやイランは、「イスラーム国」の残虐な統治や他のジハード組織による「テロ行為」が難民発生の原因と主張してきた。だが、「イスラーム国」が猛威をふるうのは二〇一四年六月以降のことである。

もとになる組織は二〇〇六年には活動を始めていたが、当初はアル・カーイダの系統とされていた。二〇一三年になるとイラクとシリアの両方で、独立した組織として攻撃を強め、「イラクとシリアのイスラーム国」（ＩＳＩＳ）を名乗り、二〇一四年の六月にはイラクのモスルを陥落させ、トルコの総領事館員を大量に人質にとっている。そして六月二九日に、アブー・バクル・アル・バグダーディーをカリフに擁立し「イスラーム国」（ＩＳ）の建国を宣言したのである。だからそれ以前から多数の難民が発生していた事実と合わない。

自由シリア軍やその他のジハード組織が住民を戦闘に巻き込み、結果的に政府軍の攻撃を招いたことは事実である。だが、二〇一三年に続いて一七年にもアサド政権側が化学兵器を使用して多数の国民を殺傷したことからも明らかなように、アサド政権は反政府勢力を打倒するためには手段を選ばない。

アサド政権にとって、「イスラーム国」がシリアに勢力を伸ばしたことは好都合だった。アサド政権には、イスラーム色がない。もともと、支配政党のバアス党は社会主義アラブ復興党の意味であり、イスラームに従う政党ではなかった。アラブの統一、植民地支配からの解放、社会主義を基本とする政党として成立したが、結果的に父アサドの時代に権力を集中した。独裁政権とはいえ、近代的で西欧的な骨格をもつ体制なのである。アサドはそこを最大限にアピールして、シリアが西欧諸国と同じ価値を共有する国家であり、テロ組織「イスラーム国」と戦う指導者としての姿を強調したのである。

国際社会は、アサド政権と「イスラーム国」とどちらが危険かと問われれば、世界各地でテロを繰り返した「イスラーム国」のほうが危険だという理解を共有していた。国連の安全保障理事会(安保理)は、アサド政権を支援する常任理事国ロシアが拒否権を行使したために、一度もシリアに対する制裁措置をとることができなかった。このことが人道の危機を最悪の状況にまで悪化させた。

膨大な数の難民と国内避難民を発生させたアサド政権とはどういう性格をもつのかを簡単に記しておきたい。現大統領バッシャールの父ハーフィズ・アサドがクーデタによって権力を掌握したのは一九七〇年である。

アサド家は、アラウィー派という少数宗派に属している。スンニー派からは異端もしくはイスラームですらないとみなされ差別の対象となってきたアラウィー派は、シリア北西部、ラタキヤ周辺から北のトルコにかけて分布している。シーア派との類似点があることから、アサド政権はイランやレバノンのシーア派勢力ヒズブッラーの支援を受けている。宗教的少数派が政権を握ったことと、アサド政権がバアス党を率いて、独自のアラブ・ナショナリズムを牽引しようとしたころからスンニー派のイスラーム主義勢力との対立がしだいに激しさを増した。世俗的なナショナリズムと社会主義を接ぎ木したようなバアス主義は、政治にイスラームを持ち込もうとするスンニー派のイスラーム主義とは、根本的に対立しやすい構造であった。

一九七〇年代後半から八〇年代初頭にかけて、すでにスンニー派イスラーム組織であるムスリム同胞団による反政府運動はあった。八一年から八二年にかけて、ムスリム同胞団によるテロが首都ダマスカスでも続発した。首相府、国軍徴兵事務所、空軍省などがテロリストによって襲撃され爆破された。だが政府は詳細を明らかにしなかった。

政権側は保守的なムスリムが暮らす地域で反政府勢力の掃討作戦を実施したが、居住区のなかに紛れ込む彼らをみつけ出すことは困難であり、しだいに、都市全体を無差別に攻撃するようになっていった。なかでも一九八二年二月、スンニー派保守勢力の拠点であったハマを一カ月にわたって包囲し、徹底的な攻撃と虐殺をおこなったことは、その後の反政府勢力に対する妥協なき攻撃の始まりとなった。この虐殺の犠牲者の数は不明だが、人権団体は二万人から四万人ではないかとしている。反政府勢力の掃討作戦には、正規軍だけでなく、アサドの近親者が率いる凶暴な私兵集団が加わってきた。さらに、警察、諜報機関（ムハーバラート）などを縦横に使いこなす監視と恐怖の統治は、今回のシリア内戦においても十分に発揮されている。

カダフィー政権の末路からの教訓

「アラブの春」と呼ばれたアラブ諸国での一連の民主化運動がシリアに波及していくなかで、リビアのカダフィー政権の末路がアサド政権に強い影響を与えたことも見過ごしてはならない。

二〇一一年にリビアにも波及した民主化運動は、カダフィー大佐の独裁に終止符を打つことに成功したが、暴力の応酬を招き、内戦に陥った。混乱に際して、ロシア、中国が拒否権を行使しなかったため、武力行使を含むリビア制裁決議は安保理で採択され、アメリカ、イギリス、フランスは反体制派支援のために軍事介入を実施した。そして身柄を拘束されたカダフィーは混乱のなかで惨殺されてしまったのである。このプロセスはアサド政権だけでなく、ロシアにとっても重大な教訓となった。欧米諸国に妥協すると、あっという間に政権が壊滅することを示したからである。

シリアのアサド政権は、カダフィー政権と友好関係にあっただけに、欧米諸国を信用して妥協すると悲惨な最期を迎えることを確信したはずである。このことが国民の犠牲を厭《いと》わず、反政府勢力はすべて「テロ組織」であり、シリア政府は「テロとの戦い」に邁進しているのであるから、国際社会はアサド政権を支援しなければならないという強弁をもたらすことになった。

ロシアとアメリカの代理戦争ではない

ロシアがここまでシリアを支援し続ける理由とは何か。両国の軍事・経済協力関係は一九七〇年代の父アサドの時代に遡る。ソ連にとって、シリアは中東・地中海地域での軍事的影響力を維持するための唯一の拠点であった。

この点は冷戦終了後、ロシアが誕生した後も変わらない。シリアの地中海岸の都市タルトゥースにはロシア海軍の基地があり、ラタキヤではシリア空軍の基地をロシア空軍も使用している。ロシア軍の駐留は、シリアの防衛にとっても不可欠となっている。冷戦時代、ソ連のミサイルはシリア各地に配備されていたが、それは見かけ上、イスラエルに対して強硬な姿勢を取り続けてきたアサド政権にとって、イスラエルからの攻撃という不測の事態を避けるために必要だったからである。

シリアのアサド政権は、一貫してパレスチナを占領するイスラエルと同国を支援するアメリカを「敵」としてきた。だが、実際には一九七三年の第四次中東戦争でイスラエルと戦った後は、八二年のイスラエルによる南部レバノン侵攻に際して、駐留するシリア軍が応戦して以降、直接交戦したことはない。

一九九〇年にイラクのサッダーム・フセイン大統領によるクウェート侵攻に始まる「湾岸危機」が発生し、翌年には多国籍軍がイラクを攻撃する「湾岸戦争」が始まると、シリアはアメリカ主導の多国籍軍に参加した。シリアにとってバックにつけていたソ連が弱体化するとみるやいなや、アメリカとの協調路線に転じたのである。アサド政権が冷戦の時代から徹底した実利主義をとってきたことを示す変わり身の速さであった。

結局、ロシアが体制を立て直して以降、アサド政権はロシアとの関係を維持した。シリアが内戦状態に陥ったのは二〇一一年だが、ロシアの直接的な軍事介入が顕在化するのは一五年以降である。シリア政府からの集団的自衛権行使の要請にもとづいて、ロシアが反政府側のジハード組織に対して攻撃を開始した。ロシア軍は「イスラーム国」に対する攻撃にも参加したが、「イスラーム国」に対する軍事作戦は、空からはアメリカが主導する有志連合軍、地上からはクルド武装組織が中心となっていた。

ロシア軍の直接介入は、シリア第二の都市アレッポから、多くの難民を生み出すことになった。二〇一六年一二月、東アレッポが反政府勢力から奪回される際、ロシア軍はシリア軍とともに激しい空爆を加え、人道の危機に拍車をかけた。

一方、アメリカは、シリア内戦への直接介入を控えてきた。シリア内戦について、しばしばロシアとアメリカの代理戦争という見方が示されたが、これは基本的に誤りである。すでに書いたように、シリアは四〇年以上にわたってソ連とロシアの影響下にあり、アメリカは介入しなかった。

アメリカは、「イラクとシリアのイスラーム国」(ISIS)が「イスラーム国」(IS)と名前を変え、イラクからシリアに勢力を拡大した後、二〇一四年八月、シリアに積極的に介入する姿勢を取り始めた。それまでも、反政府勢力を間接的に支援してきたが、これはアメリカ政府にとって危険を伴っていた。自由シリア軍を除くと反政府勢力の大半はアルカーイダの流れをくむヌスラ戦線(後にいくつかの組織が集まり、現在はシャーム解放機構)をはじめスンニー派ジハード組織であり、アメリカ政府にとって「テロ組織」だったからである。

複雑化するアクター

ロシアが直接介入の姿勢をみせてから、アメリカはロシアとの衝突を避けるため、反政府勢

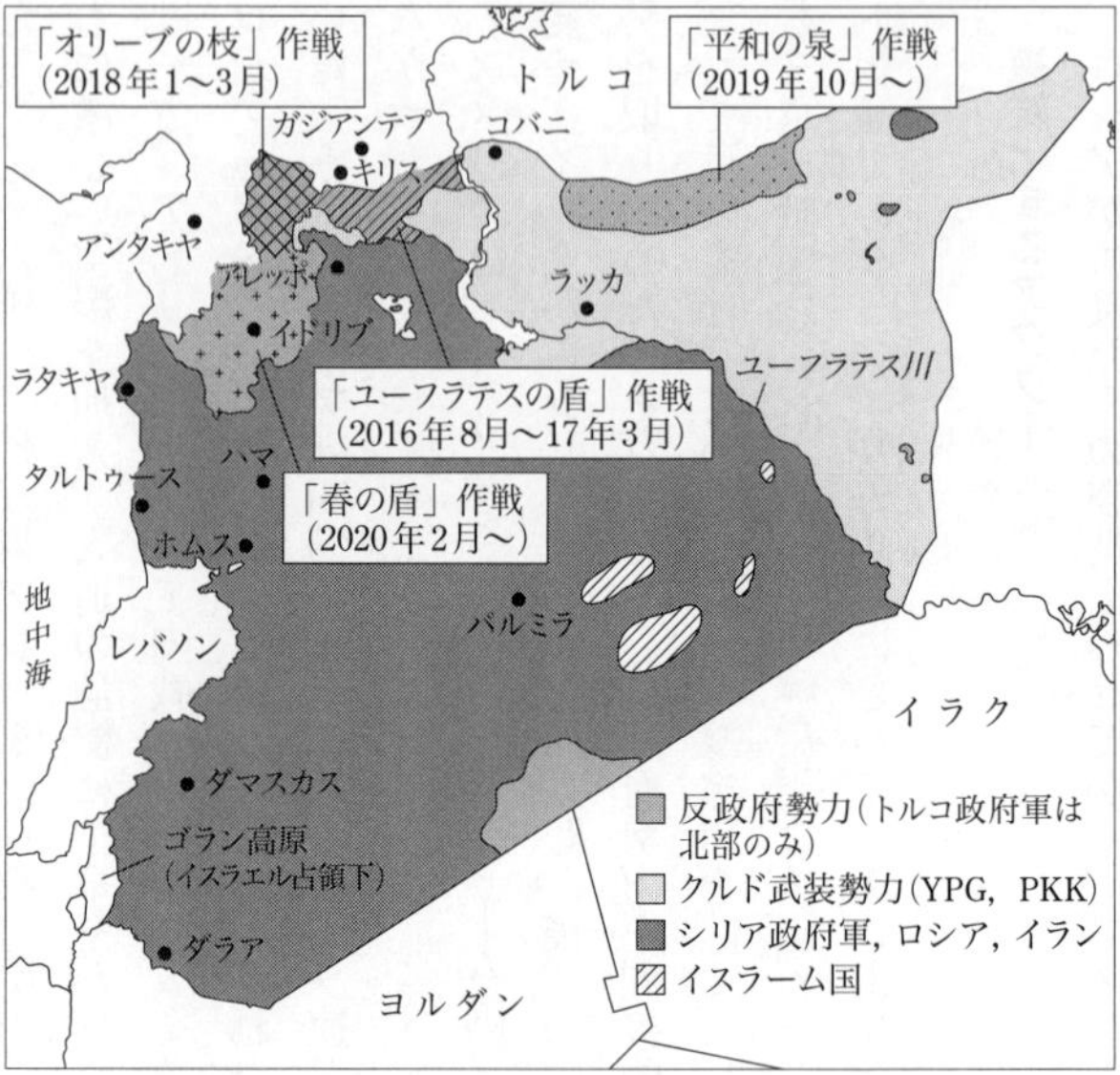

注：各作戦については，3章2参照.
出典：Stratejik ortak 等をもとに筆者作成.

図 2-4　2020 年 3 月のシリアにおける各勢力の支配地域

力への支援に消極的になっていた。

二〇一六年、最悪の危機がアレッポで進行しているとき、停戦を実現したのは、トルコとロシアだった。北部シリア、特にアレッポの東と西を支配してきたジハード組織に直接影響力をもっていたのはトルコである（図2−4）。トルコがスンニー派イスラーム組織を支援した理由は、一つにはトルコ社会自身がスンニー派の社会であり、現在のエルドアン政権もスンニー派イスラーム主義を底流にもっているからである。

　この停戦合意にもとづいて、東

アレッポの住民は政府側が支配する西アレッポ、もしくは反政府側が支配領域を維持するイドリブ県、また、そこからトルコ領内に脱出して難民もしくは国内避難民となった。

「イスラーム国」が二〇一四年に支配した地域は、主にシリア東部から北部にかけてである。北部にはクルド人が多数を占める地域があり、「イスラーム国」と激しい戦闘になった。クルド武装組織の人民防衛隊（YPG）とその政治組織の民主統一党（PYD）が主役となり、アメリカやヨーロッパ諸国が支援した。ところが、このクルド組織がトルコ国内で武装闘争を続けるクルディスタン労働者党（PKK）と密接な関係にあることから、トルコが激しく反発し、ついに軍を展開して介入することになっていく。

イスラエルの関与

二〇一七年四月七日、事態はさらに複雑となった。アメリカ軍がシリア政府軍の基地にミサイル攻撃を実施したのである。それに先立つ四日、アサド政権がシリア北西部のイドリブ県に対して化学兵器による攻撃をおこなったとして、トランプ大統領が攻撃を命じたのだが、アメリカがアサド政権側に武力行使をするのはこれが初めてだった。アサド政権側は化学兵器の使用を否定したが、アメリカ政府は決定的な証拠があるとして妥協しなかった。アサド政権は化学兵器全廃を約束し、OPCWの査察を受けながら化学兵器を隠していたのである。トランプ政権はオバマ政権が一三年に攻撃を躊躇《ちゅうちょ》したことを批判し、突然の攻撃に踏み切ったのだが、そこにはイスラエルの危機感があった。化学兵器による攻撃の直後、イスラエル政府と各メディアはアサド政権によるものと断定的に報じた。

イスラエルとシリアとのあいだには、敵対関係と信頼関係がある。イスラエルにとって、シリアにおいて敵ながら最も信頼できる勢力は「世俗的な」アサド政権であり、それは内戦発生後も変わりはなかった。むしろ、「イスラーム国」やアルカーイダとの関係をもつジハード組織のほうがはるかに重大な脅威であった。わずかでも脅威が現実のものになればイスラエルは徹底的な攻撃を加えることに躊躇しない。したがって、四月の化学兵器使用にジハード組織の関与が疑われたならば、アメリカもイスラエルも反政府勢力側を攻撃したはずである。

イスラエルにとって、アサド政権が化学兵器を廃棄せず、それを使用したことは、将来、深刻な脅威となる。イスラエルの存在さえ認めないイランの革命防衛隊、イランが支援するレバノンのシーア派軍事組織ヒズブッラーが、アサド政権軍を支えていることは、イスラエルには重大な脅威である。シリアへのイランの軍事介入を指揮してきたのが、二〇二〇年一月にアメリカの攻撃で殺されたガセム・ソレイマニ将軍だった。こうして、イスラエルときわめて緊密な関係をもつトランプ政権のアメリカもまた、シリア戦争に直接介入する大国となったのである。

ロシアとトルコ、対立から協調へ

二〇一五年九月三〇日に、ロシアがシリアのアサド政権を支援するために本格的な軍事介入を開始し、激しい空爆で反政府勢力支配地域と「イスラーム国」支配地域を攻撃した。このことでさらに多くの難民がトルコ側に流出することになった。特に、シリア北西部でアサド政権に抵抗を続けていたトルコ系のトルクメン人武装勢力がロシア軍の攻撃で壊滅してから、トルコはロシアに対する敵意を増幅させた。そして一一月にはロシア空軍機をトルコ空軍機が撃墜するという前代未聞の衝突に発展し、両国の関係は極度に緊張が高まった。

シリアの北部では、内戦が別の様相を呈していた。内戦のあいだに、自治権の確立に動いていた北部のクルド勢力は、二〇一二年ごろからロジャヴァと呼ばれる自治組織を構築していた。アサド政権にとっては、彼らも国土の一体性を脅かす存在なのだが、政権はスンニー派のジハード組織や自由シリア軍との戦いに集中していた。そこに二〇一四年、「イスラーム国」が勢力を拡大すると、クルド武装組織ＹＰＧは欧米諸国の空爆による支援を得て、激しい戦闘の末、トルコ国境に近いコバニ（アラビア語ではラスルアイン）を「イスラーム国」から防衛した。この激戦は、欧米諸国で称賛され、「イスラーム国」というテロ組織と勇敢に戦ったYPGは、一躍英雄視されることになったのである。

その後も、アメリカはYPGを支援し続けた。トルコ政府はYPGから手を引くよう、再三にわたってアメリカ政府に申し入れた。YPGとその政治組織であるPYDは、トルコをはじめ、アメリカやEUもテロ組織に指定するPKKのリーダー、アブドゥッラー・オジャランを指導者としているし、幹部が行き来しているから、トルコはPKKと同じくテロ組織だと主張している。この組織がシリア領内で自治権をもってしまうことはトルコにとって悪夢である。テロ組織が隣国から越境してトルコで武装闘争を続けると、対処しようがなくなるからである。だが、アメリカはPKKをテロ組織と認定しながら、YPGをテロ組織とすることを渋った。トルコは、アメリカ自身が「テロとの戦い」でダブル・スタンダードを使うものとして激しく抗議したが、アメリカは聞き入れなかった。

それでもアメリカがクルド武装勢力を支援する姿勢を変えなかったため、二〇一六年八月にはエルドアン大統領は、サンクトペテルブルグを訪問してプーチン大統領との首脳会談をおこない、和解した。堰《せき》を切ったように関係強化が進み、ミサイル防衛システムの導入やガスパイプラインの敷設(トルコ・ストリーム)、トルコ初となるアックユ原子力発電所の開発で合意した。軍事分野でのロシアとの協力は、当然のようにアメリカの激しい反発を招いた。

しかし、トルコはロシアを同盟国とはみなしていない。国民の大半は友好国だとも感じていない。長いオスマン帝国時代に、幾度もロシアとのあいだには戦いもあった。第二次大戦後にトルコはNATOに加盟しており、一度もロシアの軍事同盟に加わったことはない。単にアメリカがトルコにとっての脅威を増幅し続けたので、ロシアとの接近を図ろうとしたにすぎない。

二〇二〇年二月末、新たな衝突が反政府側最後の拠点となったイドリブで発生した。

シリア北西部のイドリブ県は、二〇一六年に激戦の末、アサド政権側が奪還したアレッポの西に位置する。ここは、ロシア、イラン、トルコの合意で、戦闘の激化を回避する地域となり、トルコ軍が監視所を設置することが合意されていた。そのトルコ軍に対して、イドリブ奪還で「内戦」を終結させようとするアサド政権側が攻撃し、トルコ軍兵士五〇人余りが犠牲となったのである。それ以前から、イドリブの住民はシリア政府軍とロシア軍の猛攻撃にさらされ、一〇〇万人の市民がトルコ国境に殺到し、国連をはじめアメリカもEUも憂慮していた。トルコ軍は、自国の兵士が犠牲になったことで即座に反撃に出た。「春の盾」と名づけられた作戦(前出、図2-4)では、かなり大規模に軍を投入して、初めて本格的にシリア政府軍を攻撃したのである。二〇年三月五日におこなわれたロシアとトルコの首脳会談の結果、両国はイドリブ県の一部をロシア軍・トルコ軍の共同監視下に置くことで合意し、わずかな地域が反政府勢力の支配地域として残ることになった。

3　国際社会と難民

シリア戦争終結に向けて

二〇一七年一月から一二月にかけて、カザフスタンのアスタナでシリア戦争の終結に向けた会議が断続的に開催された。主たるメンバーは、ロシア、イラン、トルコである。アサド政権を支援するロシアとイラン、スンニー派ジハード組織と自由シリア軍を支援するトルコが、戦ってきた諸勢力に戦闘をやめさせ、内戦後のシリアの姿を協議するのが会議の目的である。しかし、アメリカがいかなる役割を担うのかは明確ではなかった。この会議は、国連主導でシリアの和平を実現するためのジュネーブ会議を補完するものと公には言われているが、実際には、この「アスタナ・プロセス」が和平への現実的な協議の場となっている。ロシア、イラン、トルコの三国は、みずからシリアの「保障国」を名乗っている。ある意味で、シリアのアサド政権にも反政府勢力にも、現状では紛争解決の当事者能力を認めないことを示すものである。もちろん、国連がこの三国に和平プロセスについて全権委任したわけでもなく、戦争に介入した諸国による会合である。

二〇一七年二月一九日、ロシアのセルゲイ・ラブロフ外相は、アメリカ軍がシリアで〝火遊び〟(クルド武装勢力を支援して介入したこと)をして、シリアに居座ろうとしていると厳しく非難した。トルコが支援するスンニー派のジハード組織や自由シリア軍は、トルコにコントロールさせて、ロシア、イラン、トルコで戦後秩序のあり方について協議しようとしているところにアメリカが割り込んできたことで、ロシアは苛立った。アメリカにしてみると、クルド勢力を支援し続ける理由はなかったのだが、アスタナ・プロセスの当事者にイランがいることを強く懸念したのである。

オバマ政権時代と違って、トランプ政権は誕生すると同時に、イスラエルとの緊密な関係をアピールしてきた。イスラエルにとっての脅威は、スンニー派ジハード組織とシーア派のイランである。アメリカが、もともとさして関心をもたなかったシリアに、最後の局面で関与を強めているのは、トランプ政権の親イスラエル政策を反映している。

シリアからの難民の流出を止めるには、難民発生の最大要因であるアサド政権の自国民に対する攻撃を禁じることが必要である。当然のことながら、難民として国外に出た人びとが、アサド政権の支配下に戻るとは考えられない。反政府勢力についても、シリアをジハードの主戦場としてさまざまな国から流入した戦闘員をどのようにして排除するのか。彼らを他の国に放逐しても、また別の破綻国家で武装闘争やテロに乗りだすなら、難民発生の原因を拡散することにしかならない。現に、シリアとイラクでの拠点を失った「イスラーム国」は、西南アジアのアフガニスタンやナイジェリア、ニジェール、マリなど西アフリカで活動を展開している。

シリアの反政府勢力による支配地域を残す場合には、彼らの武装解除を実現したうえで、政府軍側の飛行禁止が保証されなければ、難民は帰還できない。そして、「イスラーム国」との激しい戦闘によって自治区を守ってきたクルドは、シリアの一部に自治領を要求し、ゆくゆくは独立を要求する。だが、これもまたシリアの国土を事実上分割することを意味する。

クルドはイラク、シリア、イラン、そしてトルコに分散している。すでに自治政府をもっているイラクに続いてシリアでも自治権を確立するならば、その運動がイランやトルコに波及することは確実である。だが両国とも、領土分割には決して応じないから、分離独立運動が加速されると衝突が激化し、ここでも難民発生の危険が高まる。

難民なのか、移民なのか

シリアからトルコ、そしてエーゲ海を渡ってギリシャに入り、そこからヨーロッパ各国をめざす奔流は、二〇一六年以降、一応はおさまった。しかし、完全に抑止されたわけでも、問題が解決したわけでもない。単に、トルコが沿岸警備を厳重にし、密航を手配する業者の取り締まりを強化したために減少したのである。それでも、二〇二〇年にいたるまで、毎週のように、トルコ沿岸からギリシャへの密航は続いている。

二〇一五年の難民危機よりも以前からあって、なおかつ、エーゲ海ルートが封鎖されてからもヨーロッパをめざす大規模な流出が続いているのは、アフリカ大陸からの地中海ルートである。この流れは二〇〇〇年代の前半からあって、多くの人びとがリビアとイタリアのあいだの地中海に浮かぶランペドゥーザ島をめざした。統一国家が崩壊したままのリビア以外にも、アルジェリア、チュニジア、モロッコなど北アフリカ沿岸諸国から、地中海を渡って、イタリアやスペインをめざす人の流れは、いっこうに止まっていない。さらにスーダン、南スーダン、マリ、ニジェール、コンゴ民主共和国、さらにここ数年、「イスラーム国」系の武装勢力との衝突が相次ぐニジェール、マリ、ブルキナファソなど多くのアフリカ諸国では、紛争による極度の経済的疲弊やイスラーム過激派勢力の侵攻によって住民が追われるケースが多発しており、限りなく難民に近い移民が、ヨーロッパをめざしている。

EU諸国は、二〇一五年に大挙してシリア人やイラク人などが押し寄せたときには、彼らが戦乱の中東を逃れた難民であろうことは認識していた。だが、この地中海ルートでイタリアに向かった人たちは、必ずしも難民とは認識されなかった。問題は、二〇一五年以降の各国の選挙後、EU加盟国が相次いで彼らに対して門戸を閉ざす方向を鮮明にするようになったことである。

UNHCRでさえ、アフリカからEUへの密航者の多くは難民とみなされないだろうと予測している。経済的な上昇、将来の希望を実現するために、母国より、よい環境にあるヨーロッパをめざしている「移民」が相当な数に達するとみている。しかしその一方で、国境を越えて移動するにあたって、人道上許されない「人身取引」(英語では human trafficking)がなされていることは重大な人権侵害である。

ヨーロッパ諸国の側は、もはや難民であっても、難民とは呼ばない。排外主義政党だけでなく、中道であれ左派であれ、誰もが「移民問題」と括《くく》ってしまうようになった。しかも彼らの多くがムスリムであることから、イスラームの侵略を許すなと主張するのである。

二〇一一年一〇月にNATO軍の支援を受けた反政府勢力によって殺害された、リビアの独裁者カダフィー大佐は、NATOがリビアを空爆するなら、アフリカからヨーロッパへの移民を食い止めている最後の壁を破壊することになると警告していた(BBC、二〇一八年七月七日)。皮肉なことに、この独裁者の予言は的中したのである。

3章　トルコという存在

1　難民を受け入れた国、トルコ

ヨーロッパとイスラームの関係を考えるとき、ヨーロッパの隣人であるトルコとの関係に焦点を当てることは重要な意味をもつ（図3−1参照）。

この国は、ムスリムが大多数を占めながら、過去半世紀以上にわたって、EUへの正式加盟を望んできたからである。トルコの加盟交渉は、困難の連続であった。一度は加盟交渉が正式にスタートしたものの、わずか一年で頓挫した。その後も細々と続いてきたものの、いまや風前の灯火といってよいほど加盟の可能性は低くなっている。

冷戦後、東ヨーロッパの旧社会主義諸国の加盟は順調に進み、EUの東方拡大はほぼ完成し

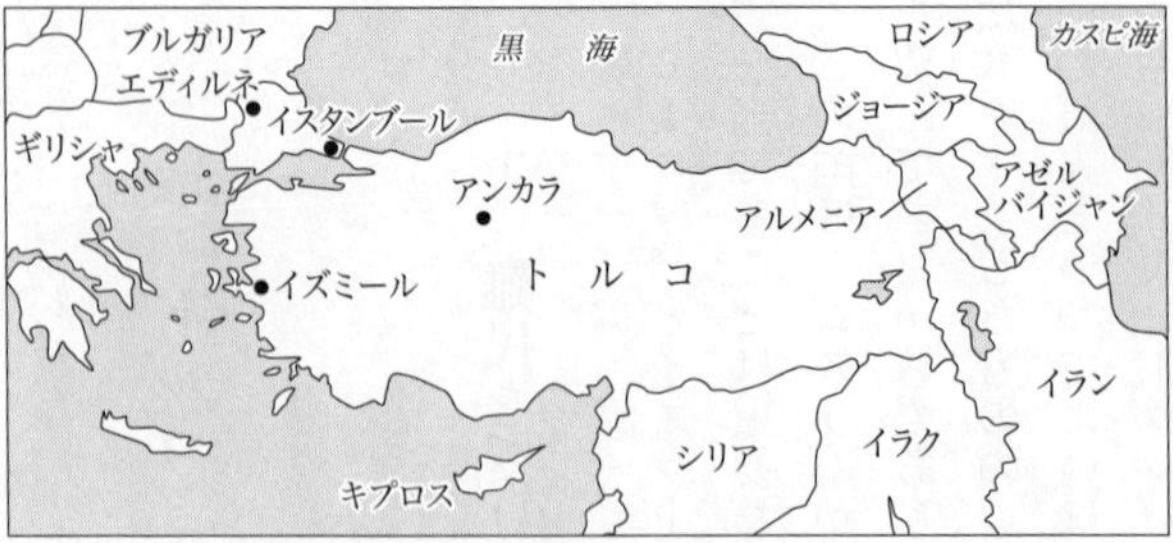

図3-1　トルコと近隣の国々

たのだが、東ヨーロッパ諸国よりもずっと前からヨーロッパの一員たらんとしてきたトルコの加盟は実現していない。今となっては、交渉における個々の問題よりも、やはりヨーロッパはイスラームを受容することを拒んだようにみえる。

前章に書いたとおり、トルコは、シリア内戦(戦争)を逃れた難民を最も多く受け入れた。ここでは、まず、難民の受け入れに対してトルコが何をしてきたかを書いておきたい。

図3-2は、シリア内戦が始まった二〇一一年以降、トルコで一時庇護の対象とされたシリア人の数の変化を示している。トルコに最初のシリア難民が入国したのは二〇一一年四月二九日だった(トルコ内務省)。ここで「一時庇護」対象者という言葉を使ったのは、難民がトルコを最終の目的地として選んだのではないことと、トルコの法制度では、長いことシリア人は事実上の永住に近い難民のステイタスを得られなかったという二つの意味合いがある。

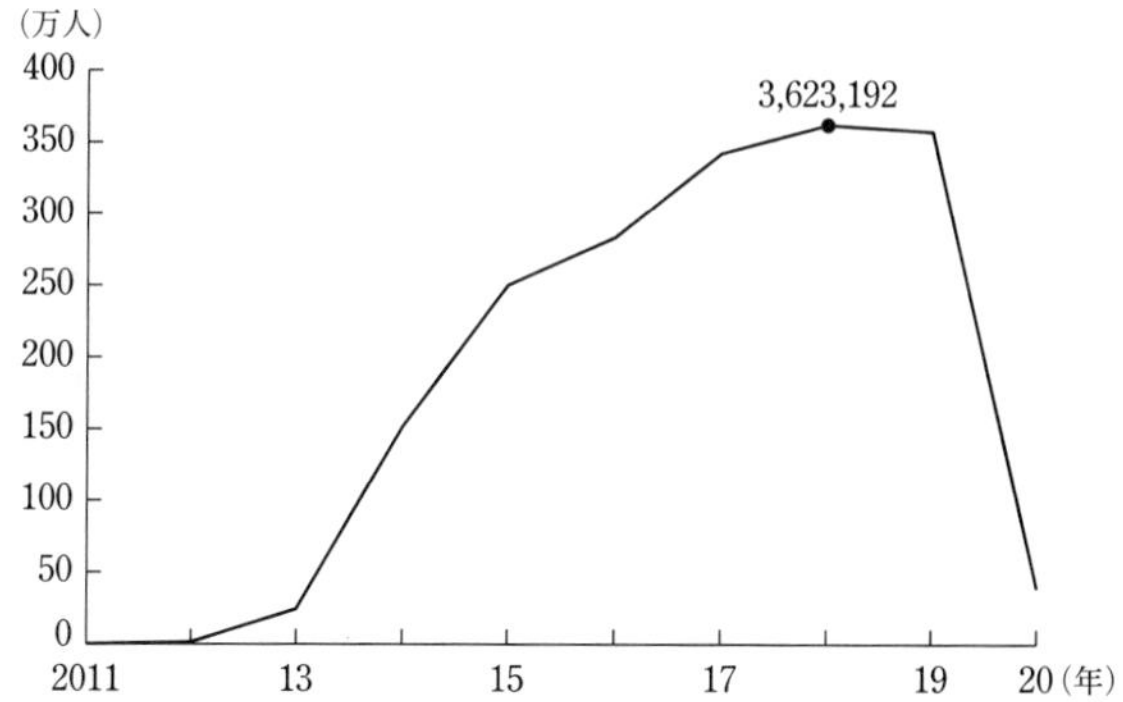

出典：トルコ内務省のデータをもとに筆者作成.

図 3-2　2011 年以降，一時庇護されたシリア人の数

国際的には、一九五一年の難民条約で難民の定義が定められた。

【「難民」の定義】

A　この条約の適用上、「難民」とは、次の者をいう。（中略）

(2)一九五一年一月一日前に生じた事件の結果として、かつ、人種、宗教、国籍もしくは特定の社会的集団の構成員であることまたは政治的意見を理由に迫害を受けるおそれがあるという十分に理由のある恐怖を有するために、国籍国の外にいる者であって、その国籍国の保護を受けることができない者またはそのような恐怖を有するためにその国籍国の保護を受けることを望まない者及びこれらの事件の結果として常居所を有していた国の外

にいる無国籍者であって、当該常居所を有していた国に帰ることができない者またはその
ような恐怖を有するために当該常居所を有していた国に帰ることを望まない者。（中略）
B ⑴この条約の適用上、Aの「一九五一年一月一日前に生じた事件」とは、次の事件の
いずれかをいう。
(a)一九五一年一月一日前に欧州において生じた事件
(b)一九五一年一月一日前に欧州または他の地域において生じた事件
各締約国は、署名、批准または加入の際に、この条約に基づく自国の義務を履行するに当
たって(a)または(b)のいずれの規定を適用するかを選択する宣言を行う。

（条文の訳はＵＮＨＣＲ日本による）

「欧州」という地理的規定があるのは、当初、この条約が第二次大戦後のヨーロッパで生まれた多くの難民を対象としていたからである。トルコは先の規定Bのうち、地理的規定について(a)を適用範囲としているため、ヨーロッパで発生した難民にしか、難民のステイタスを与えないというのが長いこと基本的な姿勢だった。

難民を受け入れる法制度

第二次大戦後、一度も安定したことのない中東にあって、地理的規定を外すと、それこそ受け入れの限界を超えるという懸念があった。難民条約自体は、一九六七年に新たに「難民の地位に関する議定書」によって事実上上書きされ、一九五一年の条約にあった地理的制約と、一九五一年以前に原因があって母国を逃れた人、という定義を外した。

トルコはこの議定書にも加わっているが、国内法の整備が遅れてきた。実際、湾岸危機（一九九〇年）と湾岸戦争（一九九一年）では、イラク北部からフセイン政権の迫害を逃れたクルド人が国境に殺到し、最終的にはトルコも一時的な受け入れを決めた。イランからも、イスラーム革命によって迫害された人びとの流入は続いたし、アフガニスタンからはタリバン政権下での迫害を逃れた人びと、二〇〇一年のアメリカによるアフガニスタン侵攻、その後の治安悪化から逃れた人びとの流入が続いた。

そして、シリア内戦が始まった。シリアからアサド政権と反政府勢力の衝突を逃れた人びとが相次いで流入し、「イスラーム国」の誕生後は、イラクから、そしてシリア北部のクルド人たちも難を逃れてトルコに入ったのである。そこでトルコは国内法を整備し、二〇一三年に法六四五八「外国人および国際間での庇護に関する法律」（ＹＵＫＫ）を制定した。基本的に、一九五一年の難民条約、一九六七年の難民の地位に関する議定書と矛盾しない内容になっており、「迫害の恐れのある国に送還してはならない」という難民条約第三三条のノン・ルフールマン原則も、YUKK第五五条で保障されている。

このトルコの法律は、正式にトルコに難民申請をする人と、一時的にトルコに庇護を求め、いずれ他の国に引き受けてもらう人の二種類を定めている。後者が一時庇護者で、図3-2に示したのは、シリアから来た人のうち、一時庇護者となってトルコに滞在している人の数である。YUKK第九一条によって、一時庇護とは「母国から離れることを強制され、母国に戻れず、緊急かつ一時的な庇護を求めて、集団として(トルコ)国境に到達し、あるいは国境を越えて入国した外国人に対する庇護」と規定されている。

実際には、トルコを最終目的地としている人はわずかなので、ここでは、一時庇護者も含めて難民と書くことにする。

図3-2をみてもわかるとおり、シリア難民は二〇一四年以降に急増している。一四年に急増したのは、アサド政権の攻撃が激しさを増し、「樽爆弾」の投下によって家を破壊された人が急増したこと、「イスラーム国」がシリアで勢力を拡大したことが原因である。そして二〇一五年以降になると、ロシア軍が本格的に参戦し、空爆を開始したこと、アメリカを中心とす

る有志連合軍が「イスラーム国」掃討作戦のために空爆をおこなったことが重なっている。

シリア難民について、もう一つ書いておかなければならないことがある。それは、三〇歳未満の若い難民が全体の七三％を占めている点である。一八歳未満の人はおよそ五割を占めていたのだが、本来なら学校で学んでいるはずの若い人たちが、あまりにも多く、トルコに一時庇護で滞在していたことになる。ヨーロッパ側からみれば「難民危機」とされた二〇一五年に、運よくヨーロッパに渡ることができて難民として認定された人は、やっと腰を据えて勉強して未来を拓くこともできるようになった。

しかし、その後もトルコで一時庇護者として滞在する人の数は増え続け、二〇二〇年時点でおよそ三六〇〇万人に達した。トルコでは、一時庇護者であっても学校に行くことはできる。子どもたちのなかには、トルコ人と変わらないレベルでトルコ語を話せる人も増えている。しかし彼らのトルコでの在留資格が一時庇護である限り、トルコは永住の地ではない。

一方、国境検問を通過せずに違法に入国したか、あるいは正規に入国しても何の届けも出さなかったために「不法入国者」として逮捕された人の数は、図3-3に示したとおりである。トルコは、難民条約の規定にもとづいて難民を受け入れてはいるが、かといって勝手に入国したり、滞在したりすることまで認めているわけではない。逮捕者の数は、二〇一九年には四五

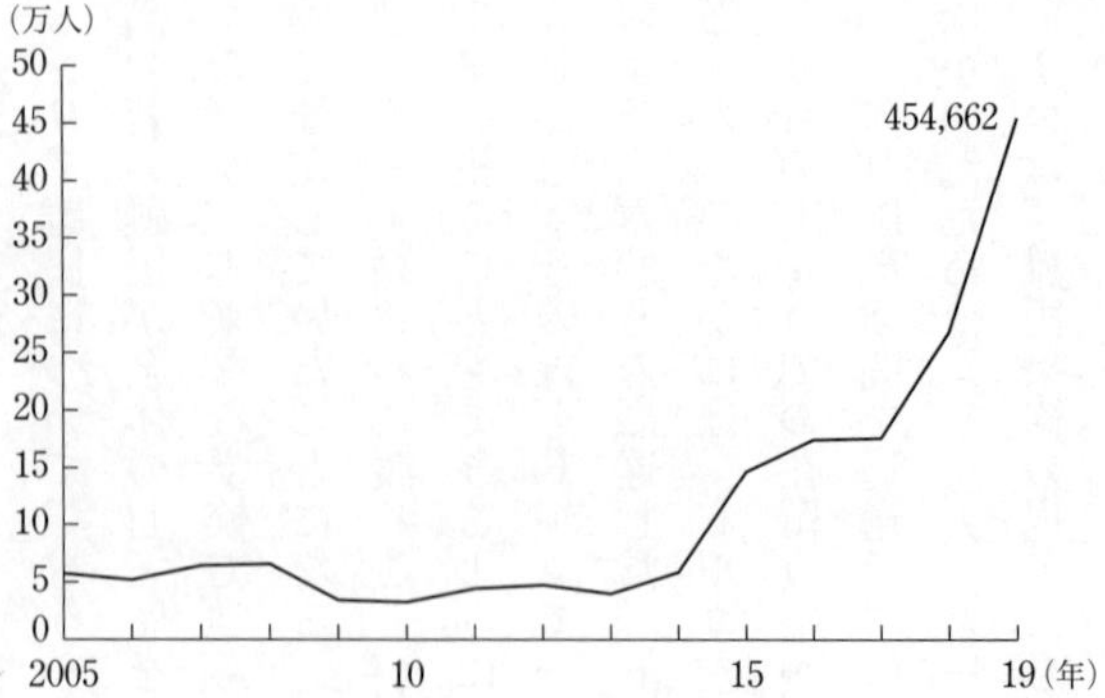

出典：トルコ内務省のデータをもとに筆者作成.
図 3-3 「不法入国者」として逮捕された人の数

万人を超えている。

これはシリアだけでなく、アフガニスタン、イラク、イランからアフリカ諸国にいたるまで、実に世界中から難民もしくは働くためにヨーロッパへ渡ろうとする人たちの中継地に、トルコはなっていることを示している。二〇二〇年二月にトルコ内務省が発表したところによれば、不法入国・滞在容疑で逮捕された人の国籍は、シリア、イラク、イラン、レバノン、パレスチナ、アフガニスタン、バングラデシュ、イエメン、エジプト、モロッコ、マリ、ガボン、セネガル、アンゴラ、リビア、南アフリカ、カメルーンと多岐にわたっている。

しかし、彼らを母国に送還できるかというと、これは簡単ではない。難民条約のノン・ルフールマン原則はトルコのYUKK法でも定められているから、不法滞在者であっても、自分が母国で迫害されると訴えた場合、送還は簡単にはできない。これは一つの例だが、パスポートもなく、所持金もなく、逮捕された中国の新疆《しんきょう》ウイグル自治区出身のウイグル人について、中国国内での迫害に蓋然性《がいぜんせい》があるとして、強制退去の執行を行政裁判所が停止する判決を言い渡したケースもある(イスタンブール第一行政裁判所、二〇一六年一二月二一日)。

難民をトルコの人はどう思っているのか

トルコの世論は、難民たちをどう思っているのだろうか。もちろん、多すぎる、もはや限度だと感じていることは間違いない。しかし、その反面、彼らを母国のシリアに送還せよという市民の声は少ない。そして、排外主義を掲げるポピュリスト政党もない。二〇一五年の難民危機で一気に排外主義が高まったＥＵ諸国とは、大きな違いである。ＥＵ諸国は、トルコを人権の後進国で強権的な国とみなす。しかし少なくとも難民問題に関する限り、この指摘は実態を反映していない。

この背景をいくつか挙げておこう。一つは、難民が多すぎると感じながらも、安価な労働力として使うことができるという経済的メリットを感じる事業者の存在である。もう一つは、イスラーム的な倫理観によって、困っている人を助けるのはムスリムとして当然だと感じている市民の存在である。

政党のなかで野党の共和人民党（CHP）は、世俗主義を支持し、国家主義的で、なおかつ親西欧型の政党である。日本からみると奇妙な性格の政党だが、エリート層の支持を受けてきたため、どうしても難民のような弱者に対する目が厳しいところがある。この党はシリアの内戦に介入することに否定的で、シリアの紛争などトルコには関係ないとしてエルドアン大統領を批判している。

しかしエルドアン大統領は、これを不道徳だとして一蹴《いっしゅう》してきた。彼が演説でしばしば強調するのは、国民のイスラーム的道徳心に訴えかけ、困っている人を助けるのはムスリムの義務だという点であり、彼らをこのように悲惨な状況に陥れたバッシャール・アサド大統領の政権を厳しく批判するのである。トルコ国民の多数はこの主張を支持しているようにみえる。本人がイスラーム主義者であるか、イスラーム主義を嫌い世俗主義を支持する人であるかを問わず、困っている人を助けないで出ていけと主張するのは、あまりに不道徳だという感覚は多数のトルコ人に共有されている。

2　トルコのEU加盟交渉は、なぜ途絶したのか

難民危機をめぐるトルコとの緊張

二〇一五年のヨーロッパ難民危機は、EUとトルコとの関係を急速に緊張させた。ヨーロッパに殺到した難民の多くが、トルコから来たからである。もちろん、トルコが難民の発生源だったわけではない。シリア内戦の惨禍からトルコに逃れた人たちの一部、といってもトルコからのエーゲ海ルートだけで八五万七〇〇〇人がヨーロッパに向かい、全体では一八二万二〇〇〇人が二〇一五年の一年間に不正規な形でEUの領域に入ったとされる(EU全体の国境管理をするFrontexによる。この数については正確に把握できないため、資料によってかなりの差がある)。難民の流入でEUの国内政治は大混乱に陥ったが、シリアの内戦を止めるために必要な政治プロセスには行動を起こさなかった。その一方で、難民がヨーロッパに渡る一つ手前の国、すなわちトルコに対する批判を強めたのである。

2章でも述べたように、EUはトルコとのあいだで、二〇一六年三月、トルコ国内の難民をヨーロッパ側(ギリシャ)に流出させないことを合意した。同時に、EUは難民認定を拒否した

人たちをトルコに送還し、トルコは明らかなシリア難民をEUに引き渡すことになった。トルコは見返りとして、合計で六〇億ユーロの支援とシェンゲン圏内のビザなし渡航を得ることになっていた。しかし、経済支援は滞り、ビザなし渡航は二〇二〇年春まで果たされていない。その後のEU諸国の排外主義の高まりを見る限り、この約束が果たされる可能性は限りなく低い。

シェンゲン圏内のビザなし渡航が実現するならば、トルコはEU加盟を事実上達成するに等しい。経済関係については、一九九六年からすでにEUとの関税同盟に加わっている。EUは東方拡大の過程で、加盟国となっても即座に域内自由移動を認めない方向を打ち出してきた。正式加盟には程遠いトルコが、加盟国でもないのに域内移動の自由を得るならば大きな勝利となる。これは難民の殺到で反EUを掲げるポピュリスト政党が急速に力を伸ばし、EUの統合が危機に陥ることを懸念したために、是が非でも難民流出を止めようとしたEU側の策であった。それに、ビザなし渡航を認めれば、トルコはEU正式加盟をあきらめるだろうという思惑も働いていた。しかし結果的には、トルコには何も与えず難民だけは出すなと命じることになったのである。

EUの要求

EUはビザ免除の条件として、難民とは関係のないテロ組織指定の基準をEUと合わせることを要求したが、この点は当初から折り合うはずがなかった。トルコが現在テロ組織としているのは主として武装闘争を続けるクルディスタン労働者党(PKK)とシリアのクルド系武装組織の人民防衛隊(YPG)とその政治部門である民主統一党(PYD)、極左の革命人民解放党／戦線(DHKP／C)、FETÖ(フェトフッラー・ギュレンを個人崇拝する集団。本章3参照)、そして「イスラーム国」である。

これらの組織のメンバーに対する厳しい取り締まりがEU基準と合わないというのだが、トルコは内政干渉として反発した。「イスラーム国」に対する取り締まりは、逆に手ぬるいという批判を受けてきた。そして、クルド武装勢力のPKKやFETÖに対する取り締まりは、しばしば言論やジャーナリズムの弾圧という批判を招いた。これらの組織のプロパガンダを展開するメディアは相当な力をもっていたため、トルコ政府の厳しい摘発の対象になってきたからである。

トルコからみると、EUの批判はダブル・スタンダードであった。EU諸国で相次いだテロ事件の容疑者は、司法手続きなしに現場で治安部隊によって殺害されていたし、フランスは二〇一五年一一月のパリでの大規模なテロの後に、非常事態を宣言して取り締まり強化を打ち出していたからである。

EU加盟交渉をいっそう困難にしたシリア内戦

トルコにとって、PKK掃討は一九八〇年代から続く困難な問題である。二〇一二年から、トルコ政府は、PKKとの和解に乗り出した。武装闘争を放棄する代わりに、政党の活動を認めるというのがその骨子だった。その結果、クルド系の諸人民の民主党(HDP)は、二〇一五年の総選挙で第三党に躍進した。クルド政党はこれまで、いくつもあったのだが、いずれもPKKとの関係を絶たなかったため、テロ組織と内通しているとして違憲判決を受け、憲法裁判所から解党命令を受けてきたのである。現在のHDPは、クルド民族主義だけでなくあらゆるマイノリティの権利を擁護することを主張して広範な支持を得た。だが、その共同党首をはじめ、ジャーナリストたちがPKKとの関係を維持しているとして訴追《そつい》されてしまったため、EU諸国は一気に批判を強めた。

一度は和解を試みたにもかかわらず、それが破綻したのはシリア内戦によるところが大きい。欧米諸国は、二〇一四年にイラクからシリアへと勢力を拡大した「イスラーム国」の脅威を深刻に受け止めていた。とにかく「イスラーム国」を壊滅させるために、軍事的手段を厭《いと》わなかったのである。前章で書いたとおり、アメリカは、YPGとPYDを利用して「イスラーム国」と戦わせ、彼らに大量の武器と資金を提供した。それだけでなくクルドの戦闘員を教育するためにアメリカ軍も派遣した。だが両者は、トルコ国内でテロ組織とされるPKKと同根の組織である。

YPGが「イスラーム国」掃討作戦で優勢になるにつれ、兄弟組織であるPKKによるトルコ軍、政府に対する攻撃が激化した。アメリカをはじめ欧米諸国の支援を得た彼らが、武器や資金をPKKにも提供したためである。これに態度を硬化させたトルコ政府は、PKKとの和解交渉の受け皿となるはずだったクルド系政党HDP幹部を逮捕し、PKKに対する軍事作戦を強化した。

そしてシリア領に踏み込んで、二〇一六年八月から一七年三月まで「ユーフラテスの盾」作戦を実施した(図2-4参照)。この軍事作戦は、「イスラーム国」掃討を掲げていたが、同時に、クルド勢力YPGの排除を狙っていた。このときは、「イスラーム国」の拠点を破壊しているので、国際社会からの批判はそれほど強くなかった。

その後、二〇一八年一月から三月、今度は北シリアに支配領域を拡大していたYPGを排除するために、ユーフラテス川の西側で「オリーブの枝」作戦を実施し、クルド地域の一部に非武装地帯を設け、「イスラーム国」とクルド武装組織の双方を排除した。

クルド勢力は、国際社会にトルコの「迫害」を訴えた。シリアのアサド政権は、トルコによる侵略だと非難した。シリア国内のクルド組織の背後にいるアメリカとの関係も緊張を高めた。トルコは、アメリカが「テロとの戦い」でダブル・スタンダードを使っていると激しく非難した。「イスラーム国」というテロ組織を壊滅させるために別のテロ組織PKKを支援していたからである。その結果、トルコは、シリア北部に非武装地帯を設置するにあたって、シリアのアサド政権の後ろ盾となっているロシアと交渉しなければならなかった。

作戦始まる

最初の「ユーフラテスの盾」作戦を開始したのが二〇一六年八月だったことには、実は重要な意味がある。その前まで、ロシア軍機の撃墜事件があり、トルコとロシアは敵対していた。だが、作戦の直前にエルドアン大統領はロシアと和解した。

従来、トルコはNATOの一員として、アメリカのパトリオット・ミサイルを配備し、戦闘機など主要な兵器をアメリカから調達していた。そのトルコが、ロシアから防衛装備を導入することを決めたのは、NATOの結束に楔《くさび》を打ち込むようなものである。当然、アメリカはトルコに激しい圧力をかけ、なんとか断念させようとしたが、アメリカの政権はオバマからトランプに移行し、混迷はもはや収拾のつかないレベルに陥った。

トランプ政権は、YPGへの支援をやめなかったし、FETÖ（二〇一六年のクーデタ未遂を引き起こした組織）のリーダーでアメリカのペンシルベニアにいるフェトフッラー・ギュレンの送還にも応じなかった。

トルコは反発を強め、二〇一九年一〇月、再度シリアに進攻し、クルド武装勢力が支配下に置いていた地域に、南北の幅三〇キロ、東西一二〇キロにわたって「安全地帯」を設置する「平和の泉」作戦を開始した（図2-4）。アメリカの議会はトルコに激しく反発し、アメリカ軍を撤退させせないようトランプ大統領に要求した。しかしトランプ大統領は、基本的にイラクやアフガニスタン、そしてシリアにアメリカ軍を送り込んでも、何の成果もなかったとしてアメリカ軍の撤退を主張した。アメリカのみならず、ヨーロッパのメディアも、トランプ大統領がクルドを裏切ったと非難し、クルド人に対する迫害が起きると書きたてた。だが、「迫害」は荒唐無稽な言いがかりだった。トルコ国内にもクルド人が多く住む地域があるが、そこで国軍と市民の衝突など起きていない。自国で迫害しないのに、わざわざ隣国に軍を出してクルド人を迫害する理由がないのである。敵は武装組織のＹＰＧだけだった。

結果として、トルコはここでもロシア・カードを使った。トルコ軍が制圧する地域を限定し、他の地域は、ロシア軍とトルコ軍が共同でパトロールすることで、トルコにとって脅威となるクルド武装組織をこの地域から撤退させることにしたのである。トルコとシリアとの国境は一〇〇〇キロ近くもあり、そこをすべて監視することは不可能に近い。それだけの戦力を国境に張りつけることも非現実的であったから、トルコはアメリカとロシアとのあいだで交渉を続けながら、できることをするしかなかった。

トルコからの分離独立をめざして武力闘争を続けるＰＫＫは、トルコはもとより、実はアメリカでもＥＵでもテロ組織とされ、活動は禁じられている。ＥＵ加盟国のなかでも、スウェーデン、デンマーク、ドイツにはクルド系移民・難民が多い。彼らは一九六〇年代から労働者としてヨーロッパに渡ったが、トルコ国内でクルドとの衝突が厳しくなっていく一九八〇年代以降は、これらの国に庇護を申請し、難民として認定されるケースが増えていった。

一九九〇年代まで、西ヨーロッパ諸国は、今のように移民や難民に対して排外的ではなかった。冷戦が終焉を迎えたことで、西欧の自由と民主主義の勝利を味わっていたので、民主化の「遅れた」国からの政治亡命者を受け入れることに対して、むしろ積極的であった。難民として受け入れられた彼らは、一定の条件で国籍の取得も可能だった。スウェーデンやドイツで、彼らは左派政党に属して、クルド人を代表しているかのように振る舞い、トルコでのPKKとの戦闘をマイノリティの人権抑圧として激しく非難したのである。冷戦の時代、ヨーロッパの左派政党は民族解放運動に共鳴していたから、クルド民族解放を掲げる急進左派のPKKが西ヨーロッパや北ヨーロッパ諸国で、同調者を得ることは簡単だった。その結果、トルコによる一連のシリア進攻はEU諸国からも激しい非難を浴びることになった。

EU諸国は、いまだに九〇年代までのトルコ民族主義や軍国主義のイメージを変えていない。だが実際には、二〇〇〇年代に入って成立した公正・発展党(AKP)政権は、イスラーム主義を基盤とするため、以前よりも民族主義を弱めていた。そして、クルド人の多くも武装闘争に明け暮れるPKKからは距離を置くようになっていったのである。

EUのパートナーだが

このように二〇一六年以降、難民がEU諸国に殺到することを抑止しているトルコは、EUの重要なパートナーである。にもかかわらず、二〇一五年のヨーロッパ難民危機以来、一方でトルコに難民流出を止めさせ、他方ではトルコの現政権を激しく非難するという状況が続いている。ヨーロッパの外縁に位置するムスリムの大国であり、それでいてヨーロッパとの対等な関係を模索するトルコとの関係には、現在のヨーロッパとイスラームとのアイデンティティをめぐる対立構造をみてとることができる。

難民をめぐるトルコとEUのあいだの脆《もろ》い合意は、二〇二〇年二月末に、ついに破綻した。前に書いたように、シリアで反政府側最後の拠点であったイドリブにシリア政府軍とロシア軍が猛攻撃をかけ、一〇〇万人にのぼる住民がトルコとの国境に殺到した。だが、限界まで難民を抱えているトルコは国境を開かなかった。シリア政府軍がトルコ軍の監視所を攻撃し、トルコ軍兵士に犠牲者が出たことで、トルコは「春の盾」作戦(図2-4)を開始し、今度は、シリア軍と正面から衝突した。

その一方で、トルコは一時庇護の対象者がヨーロッパに出国することを止めないという決定を下した。シリア軍との戦闘に入るのと同時に、この決定を下したのだが、すぐに一〇万人近い人がギリシャとの陸路の国境、海路で渡ろうとする人びとはエーゲ海岸に殺到した。もちろん、ギリシャ側は国境を開けず、越境しようとする人たちを威嚇し、状況は膠着《こうちゃく》した。トルコとしては、二〇一六年の合意以来、EUの難民政策を不誠実だと批判すると同時に、シリア戦争の最後にさらに一〇〇万人もの避難民が出ていることに世界の注目を集めようという意図があった。ＥＵ側は難民を材料に脅迫するなと激しくトルコを非難したが、トルコにはもはや妥協の余地はなかった。

だが、それが新型コロナウイルスのパンデミックと重なった。難民たちは、トルコ側の国境検問を通過したものの、ギリシャ側に入ることはできない。ボートでエーゲ海を渡ろうとした人たちもギリシャの沿岸警備隊に発見されるとトルコ側に押し戻される事態が続いた。感染が急激に拡大していたため、ＥＵはこの問題に対処できなくなったのである。

トルコがＥＵに加盟しようとした理由

トルコは、一九五九年には当時の欧州経済共同体（ＥＥＣ）とのあいだで加盟交渉を始めている。六三年には、「準加盟国」協定に調印。九六年にはＥＵの関税同盟に参加したから、実質的にはＥＵの準加盟国のようなステイタスとなった。国民の大半をムスリムが占めるこの国が、ここまでヨーロッパに執着したのには、おおづかみにいって二つの理由がある。

その一つは、オスマン帝国以来の歴史的な経緯である。帝国の全盛期、一六世紀初頭にはバルカン半島ばかりか、オーストリアあたりまで遠征した。一五二九年、そして一六八三年にもウィーンを包囲したオスマン帝国の領域は、バルカン地域を含めて東南ヨーロッパに及んでいた。

そのため、オスマン帝国にとっては、みずからをアジアの帝国と規定する理由はなかった。第一次世界大戦での敗戦によってオスマン帝国を解体と滅亡に追い込んだのは、ヨーロッパ列強だった。解体の過程では「ヨーロッパの重病人」と呼ばれたが、誰も「アジアの重病人」とは呼ばなかったのである。

第一次世界大戦での敗北で、オスマン帝国は滅亡し、現在のトルコ共和国が成立したが、国の成り立ちからいうと、多様な民族や宗教を包摂《ほうせつ》する帝国ではなく、トルコ人の国という民族国家を宣言した。その結果、オスマン帝国のコスモポリタンな性格は消え去った。首都もアナトリア半島内部のアンカラに置かれたから、ヨーロッパというよりはアジアの西端に位置するとみるほうが自然なのだが、それでも最大の都市イスタンブールは、市域がアジア側とヨーロッパ側にまたがっていて、エディルネをはじめヨーロッパ大陸側にも、領土を持っている。そのため、自国をヨーロッパの一員とする意識はこの国のエリートのあいだに受け継がれた。

第二の理由は、イスラームとの相克《そうこく》である。建国して間もない時期から、近代国家となったトルコ共和国は、たえずオスマン帝国の再現を望むようなイスラーム勢力の抵抗に悩まされてきた。建国の父となったムスタファ・ケマル(のちに贈り名としての父なるトルコ人を意味するアタテュルクの名が有名になる)にとって、イスラーム勢力というのはいわば後進性を象徴する力であって、近代国家の樹立を図るためには、自国をヨーロッパと位置づけておく必要があったのである。

EUの東方拡大とトルコの疎外

トルコは、一九九九年のヘルシンキでのEU首脳会議で正式加盟交渉の候補国となり、人権状況の改善などが実現すれば正式加盟交渉が開始されることになった。二〇〇二年のEU首脳会議において、民主主義、法の支配、マイノリティの人権の保障、市場経済への対応など、いわゆるコペンハーゲン基準に適合したと認められれば正式加盟交渉に入ることが合意された。そして〇四年、基準がおおむね達成されたと評価され、〇五年から正式加盟交渉が開始されることになった。これを聞いたとき、私はEUにも大きな変化が訪れるかと期待した。

二〇〇四年五月一日、EUの東方拡大が実現した。バルト三国のエストニア、ラトビア、リトアニア、東欧と中欧からポーランド、チェコ、スロバキア、スロベニア、ハンガリー、そして地中海のキプロスとマルタという一〇カ国が新たに加盟するという大規模な拡大だった。ここでEUの拡大史を表3-1にまとめる。

表 3-1　EU 拡大の歴史

原加盟国	フランス，イタリア，ドイツ，オランダ，ベルギー，ルクセンブルク
1973 年	イギリス，アイルランド，デンマーク
1981	ギリシャ
1986	ポルトガル，スペイン
1995	オーストリア，スウェーデン，フィンランド
2004	エストニア，ラトビア，リトアニア，ポーランド，チェコ，スロバキア，スロベニア，ハンガリー，キプロス，マルタ
2007	ルーマニア，ブルガリア
2013	クロアチア
2016	イギリス，EU 離脱を国民投票で決定
2020 年現在	イギリスを除いて 27 カ国

二〇〇四年の東方拡大は、冷戦後に新しいヨーロッパを構築するための仕上げだった。ＥＵの拡大とヨーロッパの統合は二〇世紀に二度の世界大戦を経験したヨーロッパが生まれ変わることを意味していたし、冷戦時代に西ヨーロッパ諸国が描いた夢でもあった。東ヨーロッパの社会主義圏にあった国々のＥＵ加盟はそのことを象徴している。その一方で新規加盟国が、果たして西ヨーロッパ自由主義圏の連合だったＥＵの「理念」をどこまで共有しているのかについて深く詮索されることはなかった。

二度の世界大戦がドイツを疎外したために起きたことをふまえて、一九五二年に欧州石炭鉄鋼共同体（ＥＣＳＣ：European Coal and Steel Community）を創設したことを始まりとするＥＵの歴史は、疎外ではなく、取り込むことによる安定と発展をめざしてきた。東ヨーロッパの国々を西側の価値体系のなかに組み込み、疎外しない姿勢を明確にしたのが二〇〇四年の東方拡大だった。

だが、今にして思えば拙速だった。ポーランド、チェコ、スロバキア、ハンガリーの四カ国は、温度差こそあるものの、EUに制約を課されることを嫌い始めている。二〇〇八年の世界金融危機の打撃を受けた際に、いくつかの国がEUとIMF（国際通貨基金）に支援を仰ぐことになった。結果的に、財政規律の強化を求められることになったことは、EU加盟を維持するためには相応の痛みを伴うことを知るきっかけになった。

話をトルコのEU加盟交渉に戻そう。今にして思えば、トルコが二〇〇四年に交渉開始条件をクリアしたことが承認され、翌〇五年から正式加盟交渉が開始されたことは奇跡に近かった。これにより、アキ・コミュノテール（EUが積み上げてきた法の体系）の一つ一つに合わせるため、三五項目からなる法整備に着手することになった。しかし、二〇〇六年になると状況は一変した。EUが一方的に加盟交渉を中断したのである。以来、現在にいたるまで加盟交渉は進展していない。加盟候補国となってから、これほど加盟交渉が難航し、事実上、頓挫《とんざ》した国というのはトルコをおいて他にはない。

突然、キプロス承認問題を持ち出したEU

トルコとの加盟交渉が突然打ち切られたきっかけは、キプロス共和国の未承認問題をフランスが持ち出したことにあった。だが、キプロス共和国の承認は加盟交渉開始の条件ではない。

キプロスは一九七四年以来、トルコ軍が駐留する北キプロス（北キプロス・トルコ共和国を名乗っているが承認しているのはトルコのみ）と国際的に承認されているギリシャ系のキプロス共和国に分断されたままになっている。国際的には北キプロスは、「トルコによって違法に占領された」地域である。だが現実には、六〇年代から七〇年代前半に激しくなったトルコ系住民とギリシャ系住民との衝突を背景に、七三年に北キプロスのトルコ系住民を守るためにトルコ軍が進駐したことで、事実上の分断国家となったのである。

キプロスがEUに正式加盟する際、EUは国連の仲介によって南北キプロスが再統合することを求めていた。ところが再統合は難航し、国連のアナン事務総長提案による南北キプロス再統合案の住民投票が実施されたのは、二〇〇四年四月二四日だった。その結果、北キプロス側は国連提案を受諾し、トルコもそれを了承したのだが、南のギリシャ系キプロス共和国側が拒否してしまった。こうして話は振り出しに戻った。一週間後の五月一日、キプロス共和国は、北キプロスを除外した形でEUに正式加盟を果たしたのである。

ＥＵは、南北双方が国連提案を受け入れて歴史的な再統合を果たしたうえでＥＵに加盟させるというシナリオを描いていたのだが、それが失敗した。これはＥＵの見通しの甘さであって、むしろこのとき、キプロスの加盟を停止すべきだった。トルコとしては、キプロスの分断が解消されなかったのに、新規加盟国となった「ギリシャ系」だけを承認することはできなかった。同じトルコ系民族の北キプロスを見放すようなものだからである。

トルコ側にも誤算があった。二〇〇五年の段階で、トルコはＥＵの全加盟国に対して関税同盟の範囲を広げるという追加議定書に調印していた。トルコはすでにＥＵの関税同盟に加わっているから、新規加盟国が増えたときには、自動的に新規加盟国とのあいだでも関税の撤廃、港湾と空港の開放などを約束していた。

二〇〇四年の住民投票で再統合が成立しなかったため、トルコはキプロス共和国を承認しなかったし、関税同盟としての特権を認めないことにした。フランスは、この点を突いて、二〇〇五年時点でキプロス共和国を承認せず、したがって空港や港湾を開放していないトルコと交渉などできないと、ド・ビルパン首相が言い出したのである。キプロス共和国の承認がトルコの加盟交渉の前提条件だったのなら、ド・ビルパンの主張は正しい。だがイギリス、ドイツ、フランスの三国は、そこには目をつぶってトルコとの加盟交渉をリードしていた。加盟交渉開始を決めた一年後に、交渉の前提条件が変えられてしまったことになる。それは、加盟国の多くでトルコの加盟に反対する世論が強まったという政治判断によるところが大きい。

トルコはこのとき、フランスがキプロス未承認問題を持ち出すとは予想もしていなかった。一九六〇年にキプロスがイギリスから独立する直前、キプロスの将来について発言権をもつ三つの国が「保障国」(Guarantor Powers)となる取り決めが、イギリス、ギリシャ、トルコのあいだで成立していた。一九五九年のチューリッヒ・ロンドン協定である。旧宗主国のイギリス、北のトルコ系住民を支援するトルコ、南のギリシャ系住民を支援するギリシャが、当事者として独立後のキプロスの行方にも干渉できることになっていた。そのため、EUのなかでもイギリスは、フランスがキプロス問題を持ち出したことに強い不快感を示した。

一つ付け加えておきたいのだが、この「保障国」という考え方は、先に書いたシリア戦争の最後の局面でも登場する。シリアの戦後を協議する「アスタナ・プロセス」のなかで、ロシア、イラン、トルコの三国が「保障国」としての地位を得るという取り決めである。トルコ政府の頭のなかには、今後のシリアがトルコにとって安全保障上の脅威にならないためには、「保障国」としての関与が必要だという認識がある。そして、この認識は、キプロス問題での経験にもとづいているのである。

当時、トルコのEU加盟に対するEU全体での支持は二八%、反対は五九%だった。後に加盟するブルガリアに対する加盟支持が四六%、反対が四〇%、ルーマニアは支持四一%、反対四六%、未加盟のボスニア・ヘルツェゴビナでさえ支持三九%、反対四六%(Eurobarometer 66, 調査は二〇〇六年、二〇〇七年九月刊行)だった。その一〇年後、二〇一七年五月一九日付けのドイツ紙『ビルト』は、ドイツでは八六%、オランダでも八四%がトルコのEU加盟に反対していると報じた。そして現在、EU加盟国のなかでトルコの加盟を支持する国は一つもない。

もちろん、EU諸国の政治家の発言、研究者の仕事をみても、トルコがいかに民主化を達成していないか、クルド人の人権状況を改善しなかったか、報道の自由が認められていないかという点についての指摘は多数ある。だが、それらは、なぜ一年で交渉を打ち切ったのかの説明にはなっていない。加盟交渉が理不尽な理由で打ち切られなければ、トルコはこれらの点について改善せざるをえなかったからである。

トルコのEU加盟と9・11

なぜ二〇〇四年の段階で、コペンハーゲン基準をクリアしたとして交渉開始が決定されたのだろうか。そこには、二〇〇一年の9・11という未曽有のテロ事件が深くかかわっている。

9・11後、当時のEU加盟国首脳、なかでもイギリスのブレア首相、フランスのシラク大統領、そしてドイツのシュレーダー首相は、イスラーム圏で唯一みずからEUの基準を満たそうとして努力を続けてきたトルコを排除すべきでないという方向で一致した。イスラーム過激派が、西欧世界にとって新たな脅威であることを決定的に印象づけたのが9・11だった。そのため、トルコをイスラーム圏との懸け橋として利用するという思惑があったのである。

だが二〇〇五年、ドイツでは社会民主党(SPD)のシュレーダー政権からキリスト教民主同盟(CDU)のメルケル政権に移行した。フランスでもシラク政権の弱体化が進むなかでサルコジが内相に就任し、移民問題で強硬な姿勢に転じ、二〇〇七年に大統領に就任する。

今度は、EU各国で、別の問題が持ち上がる。移民の急増、それもムスリム移民があまりに増加していたことで、それこそテロの危険性が高いという恐怖が渦巻き始めたのである。すでに二〇〇四年にはスペインのマドリードで、〇五年にはイギリスのロンドンで大規模なテロが起きていた(4章3参照)。これ以上、ムスリム移民の増加には耐えられないという世論の圧力は、過去半世紀以上にわたって労働移民をイスラーム圏から受け入れていた西ヨーロッパ諸国にとって、内政の不安定を招く主たる要因であった。トルコがEUに正式加盟すれば、いずれ域内自由移動を認められるから、またムスリムの移民が増えるという恐怖をヨーロッパ社会は抱いていたのである。

しかし、ムスリムだから、イスラームだから加盟を拒むとは言えない。そこで、トルコの加盟交渉条件ではなかったキプロス共和国未承認問題を持ち出して、トルコとの加盟交渉を阻止したのである。新たに誕生したドイツのメルケル政権もこれに同調したが、フランスのように別の条件を持ち出すのではなく、オーストリアなどと共同で、トルコを正式加盟国ではなく「特権的同盟関係」という新たなステイタスにしてはどうかと提案した。テロや安全保障については協力し、域内の自由移動は認めず、新規加盟国には必ず与えられる農業補助金なども出さないという条件である。トルコは、何の「特権」もないこの提案を即座に拒否した。

それまでのEUは、相次ぐイスラーム過激派のテロを経験したからこそトルコを仲間に引き入れようとし、その後のEUは、同じテロを理由にして「イスラーム圏のトルコ」を拒絶する方向に転じた。難民危機以降、この傾向はいっそう強まり、二〇二〇年現在、トルコの加盟など論外という世論はEU全加盟国に共通している。

3　トルコの政治状況から読み解く

EUとキリスト教

「トルコはヨーロッパか?」。この問いに対して、日本でも欧米世界でも、多くの人は否定的に答える。私の授業で学生に質問してみても、答えは同じである。では、なぜそう思うのかを問うと、人口のほとんどがムスリムだからという答えが返ってくる。ヨーロッパでもこの動向は同じで、トルコとEUには「ヨーロッパ」共通の文化的な基盤がないと考える市民が圧倒的に多い。

では、その答えを裏返しにしてみると「ヨーロッパはキリスト教文化圏だ」ということになる。基本的にはそのとおりなのだが、ここにEUという共同体を構成するはずの市民の意識とEUの理念との乖離《かいり》がある。EUは「キリスト教国家の連合体」ではないのである。そもそも、その精神においても、EUがそんなことを宣言できるはずはない。もし「キリスト教クラブ」であることを認めていたら、ユダヤ人迫害の歴史と向き合っていないことになるからである。第二次世界大戦後、二度とドイツを疎外することなく、ヨーロッパ共同体の内につなぎとめることがＥＵ最大の課題であった。そのドイツは、ユダヤ人の身にホロコーストの惨禍を引き起こした当事者である。ドイツだけではない。フランスをはじめ、多くのヨーロッパ諸国でユダヤ人に対する迫害は長い歴史をもっている。

ヨーロッパ諸国が、二〇世紀に二度もヨーロッパを焦土と化した大戦の反省に立って、国家間の壁を取り払ってヨーロッパ連合を形成していったとき、そこに「キリスト教」をうたうことはできなかった。だが、そうならば、国民のほとんどをムスリムが占めるトルコを疎外する理由が「キリスト教に由来する共通の文化」であることも成り立たない。

そこで、法の支配、マイノリティの人権尊重、民主主義、健全な市場経済など普遍的な価値を加盟の基準としてきたのである。だが、ＥＵ市民のなかで保守的なキリスト教徒は、イスラーム圏のトルコはふさわしくないという点を強調し、リベラルなＥＵ市民たちは、クルドをはじめマイノリティを迫害してきたトルコは人権状況と民主主義の未成熟から加盟に値しないと主張する。繰り返しになるが、後者の課題は、加盟交渉のなかで改善されるべきことがらであり、そのことは当時のエルドアン政権も承知していたのである。

建国して間もなく、「世俗国家」となった

トルコは建国後、間もないころから「世俗国家」であった。国家の公的領域からイスラームを締め出したのである。この原則をトルコ語でライクリッキ(laiklik)という。フランスの世俗主義ライシテと同じ言葉である。トルコのライクリッキは建国期にフランス共和国のライシテを範として、国家とイスラームを厳格に分離することで近代化を図ろうとしたためである。しかしイスラームには、唯一の絶対者である神(アッラー)の意思が及ばない領域を人間が設定することはありえないから、敬虔なムスリムには理解できなかった。

特に争点となったのはフランスと同じで、公教育の場での女子生徒、大学生の被り物の着用禁止だった。国家公務員も議員も国立病院の看護師も医師もみなこの規定によって、被り物を脱がないと就業できなかった。男性の顎鬚《あごひげ》も同様であった。とにかく、見た目にムスリムの特徴とされるものは、すべて公的な領域から追放するという厳しい世俗主義を、人口の大半をムスリムが占めるトルコが採用したのである。

ただし、フランスとの違いは、スカーフやベールを「イスラームのシンボル」とは考えていなかった点にある。フランスの場合は、そもそもイスラームというものをよく知らないので、女性の被り物を「イスラームの象徴」だと思い込んだが、さすがにムスリムが大半を占めるト

ルコで、その理屈は通じなかった。そこで、禁止の理由として、①公的空間で、イスラームの教えにもとづいて被り物を身に着けるのは、世俗国家としての共和国の原則に反する、②被り物は、政治的イスラームのシンボルであるから、これも世俗国家たるべきトルコ共和国の原則に反する、というものだった。

しかし、このフランス由来の世俗主義は根づくはずがなかった。トルコが今の共和国になって六〇年ほど経た一九八〇年代には、次々とイスラーム政党が台頭してくることになった。西欧をモデルに近代化を進めるにしても、トルコはムスリム社会とは最も相性の悪いフランス型の世俗主義を採用してしまったのである。イギリスやドイツのモデルを採用していれば、被り物をめぐって国内で対立することはなかっただろう。しかし、そこがまた興味深いことなのだが、フランス型の厳格な世俗主義、個人の服装や行動にまで干渉する世俗主義を採用していたために、二〇〇二年以降に公正・発展党（AKP）政権が誕生した後も、突然、イスラーム国家になるというような急激な変化は起きなかった。

それ以前、一九九〇年代までは建国の父ムスタファ・ケマル・アタテュルクの理念を決然と守護することを旨とする国軍がクーデタを起こして政党政治を停止し、国家の分裂を図った罪でイスラーム主義の政治家を拘束し、憲法裁判所が政党を解散させてきた。八〇年には、ネジメッティン・エルバカン率いる国家秩序党がイスラームを政治に持ち込もうとしたとして逮捕、訴追され政党は解散させられた。このときは政党政治全体が混乱に陥ったとして国軍がクーデタを起こし、他の政党も含めて政党政治そのものを停止させ、軍事政権が誕生した。

トルコの国軍というのは、たとえばタイ、ミャンマーやエジプトの軍部のように、永続的に政権を掌握《しょうあく》しようとはしない。ここが特徴的な点なのだが、あくまで建国の父アタテュルクが政党による政治（一九五〇年までは「共和人民党」による一党制で、その後、複数政党制に移行）を規範としたことを受け継いで軍がすべてを独占しようとはしない。一九六〇年、七一年、八〇年と三度にわたって、軍は政治に介入したが、落ち着くと民政に移管していた。

一九九〇年代のトルコは、中道右派、中道左派の政権が入り乱れて、政権ができては崩壊することの繰り返しだった。国内ではクルド武装組織のＰＫＫとの戦闘が激化し、クルド人が多く住む地域では、軍や警察の横暴な対応が住民の激しい反発を招いていた。クルド人の村落は、トルコ軍からはＰＫＫへの協力を疑われ、ＰＫＫからはトルコ軍への協力を疑われるという板挟みで、村民たちは耐えかねて、イスタンブールのような大都市に移住した。

この時期までのクルド人の処遇は差別的だった。クルド語はトルコ語とはまったく異なる言語だったにもかかわらず、トルコ語の方言とされ、クルド人という呼称も認められていなかった。「山のトルコ人」というひどく差別的な呼び方をされていたのである。トルコ国民であることを受け入れるなら、名目上は平等な権利を保障されていたのだが、実態は違っていた。クルド人の側は、母語の使用などトルコ人と平等な権利を求めていたが、武装闘争を続けるPKKは、対立を先鋭化させる道をとった。

イスラーム主義の台頭

一九九三年には、サルマン・ラシュディの『悪魔の詩』をトルコ語に翻訳した作家や詩人の集まった会合が、イスラーム過激派の暴徒に襲撃された。シワスという町のホテルが焼き討ちされ、多くの犠牲者を出した。「くたばれ世俗主義」、「被り物に手をかける腕をへし折ってやれ」、「シャリーア(イスラームの法体系)万歳」。いずれも当時の記録映像に残る急進的イスラーム主義者のデモで叫ばれていたスローガンである。

そして、公民権停止を解かれたイスラーム主義者のエルバカンが福祉党を率いて、徐々に民衆の支持を集めていった。一九九五年一二月におこなわれた総選挙で、福祉党は第一党となったが連立で組閣する相手がみつからず、さらに政治は混迷を深めた。最後に中道右派の正道党との連立政権が成立したのだが、イスラーム色を強めるエルバカン首相に、軍の苛立ちは頂点に達した。

一九九七年一月三一日、首都アンカラに近いシンジャンで、パレスチナに連帯する催しがおこなわれ、パレスチナ民衆による抵抗運動(インティファーダ)に題材をとった劇が演じられた。そこに、パレスチナのイスラーム主義政治組織ハマス、ヒズブッラー(レバノンのシーア派イスラーム組織)、そして駐トルコのイラン大使も招待されていた。

軍は、ついに行動を起こした。翌々日、シンジャンに戦車を繰り出して威嚇《いかく》したのである。そして二月二八日、国家安全保障会議の席上、軍首脳は首相のエルバカンに最後通牒《つうちょう》を突きつけた。私設のコーラン学校を禁止し、すべて国家の宗務庁の管理下に置くこと、特定の指導者を崇拝するイスラーム組織の活動禁止、公共施設での「被り物」の禁止、そして初等教育を小中一貫の八年とし、イマーム・ハティプ養成学校の中等部を廃止させたのである。イマームとはイスラーム指導者、ハティプは説教師のことで、トルコの場合、建国当初から宗教学校は国家管理のもとにおかれ、宗務庁が管轄していた。だがそれでも、イスラーム主義勢力が勢いを増したため、影響を受けやすい中学生までは普通教育を義務化したのである。結局、エルバカンはこの要求を飲まされたうえ、翌年に福祉党は憲法裁判所によって解党させられた。

民意はイスラーム主義の政党を支持したが、軍部が国家原則に反するとしてこれを潰す――

これで民主主義が成り立つか？

この問題はトルコの民主化にとって大きな障害となっていた。同じ一九九七年、当時、イスタンブール大都市圏の市長を務めていた福祉党のレジェプ・タイイプ・エルドアンは、演説でイスラームを政治的に利用したとして、国民を分断する罪（刑法三一二条二項）違反に問われ、九八年には有罪判決を受け、禁錮一〇カ月（後に四カ月に減刑）と公民権停止が科された。

問題となったのは、建国期の著名な詩人でアタテュルクにも大きな影響を与えたズィヤ・ギョカルプの詩の一部を引用したことだった。「モスクは我らの兵舎、ミナレットは銃剣、モスクのドームは鉄兜、そして信徒は兵士なり」。この詩は一九一二年のバルカン戦争に際して、兵士に祈りを捧げるために書かれたもので、イスラーム主義とは何の関係もなかった。世俗派と軍部の言いがかりに怒った支持者たちは、刑務所の前に群れをなし、エルドアンの釈放を訴えていた。

一九九九年の八月、イスタンブール近郊とマルマラ海地方を大震災が襲い、およそ一万七五〇〇人の犠牲者を出す大惨事となった。そして二〇〇一年にはアメリカで9・11同時多発テロ事件が発生する。震災での行政の不手際もあってトルコの内政はますます混迷を深め、対外的にはアメリカによる「テロとの戦争」で、「文明の側につくのか、野蛮の側につくのか」という当時のブッシュ大統領の恫喝《どうかつ》に直面することになった。しかしトルコは、NATO加盟国でありながら、アメリカが報復として始めたアフガニスタンへの武力侵攻には参戦しなかった。その後、治安維持のための国際治安維持部隊(ISAF)には軍を派遣したが、トルコ軍はタリバンとの戦闘には参加せず、住民に銃を向けることもなかった。

トルコの政党は、軍の干渉や憲法裁判所の解党命令で潰されることがしばしばあったが、核となる政治家は、別の政党をつくって復活することができる。もちろん、党首と幹部は一定期間、公民権を停止させられるからすぐに政治活動を再開できない。二〇〇一年、エルバカンの弟子にあたる現大統領のエルドアンは、師の古典的なイスラーム主義政党から離れて、新たに公正・発展党(AKP)を結党した。たびかさなる軍や憲法裁判所の政治介入に限界を感じていたエルドアンたちは、袂《たもと》をわかったのである。

そして、巧妙にイスラーム色を表に出さず、政策立案のためにテクノクラートを集め、貧困対策に大きな功績を残すことで庶民の支持を集めていった。そして、二〇〇二年の総選挙で、AKPは大勝し、単独与党となり、今日に至っている。

クルド問題への取り組み

懸案のクルド問題でも大きな進展があった。

ＰＫＫのリーダー、アブドゥッラー・オジャランは一九九九年に、ケニアのナイロビでトルコの情報機関に身柄を確保され、トルコで裁判を受けることになった。クルド分離独立運動の象徴的な存在であるオジャランを拘束したトルコは、同時に、ＥＵ加盟交渉の前提となる死刑廃止に応じ、オジャランは終身刑となった。そのうえでＡＫＰ政権は、かつてのクルド人差別政策を改めていった。クルド語はトルコ国営放送でも使用されるようになり、クルド人が多数を占める地域では、二〇一二年にクルド語の母語教育も選択科目として開講されるようになった。トルコ語が国語であることは変更されていないが、少なくとも、存在自体を否定されてきた時代は終わったのである。

クルド人の多い東南部地域は、貧困問題が深刻である。ＡＫＰ政権は、公共住宅建設などを通じて、生活水準の向上を図っている。貧困層全体に手厚い政策は、ＡＫＰの政策の柱となってきたのだが、ＰＫＫ側からみると、明らかに切り崩しを図る策謀と映る。クルド人は、実は宗教的に保守的な人たちが多く、その意味ではＡＫＰに共感を抱く人たちもいるのだが、ＰＫＫはもともと共産主義組織であったために、どうしてもイスラームとは相容れない。

二〇一二年以降、ＡＫＰは収監中のオジャランに武装解除を呼びかけさせ、ＰＫＫとの和解交渉に乗り出したのだが、シリア内戦を勢力拡大の好機ととらえたPKKが反撃に転じたために和解への道は閉ざされることになった。それでも現政権は、クルド全体を敵に回すという一九九〇年代の失策だけは繰り返さない方針を維持している。AKPの基本的なスタンスは、クルド、トルコという民族の分断もまた、一九世紀の西欧が中東を分割して統治する戦略のなかでつくりだしたものにすぎない、われわれはみなムスリムの兄弟ではないか――というものである。

軍のあり方

AKP政権下のトルコが、一九九〇年代までに比べるとイスラーム色を強めたのは確かだが、同時に軍による政治介入を抑え込み、民主化を進展させた。

二〇〇七年四月、その後のトルコという国の方向性を決定づける事件が起きた。当時、トルコの大統領は一院制の国会である大国民議会で選出することになっていた。野党で世俗主義の堅持を掲げていた共和人民党(CHP)は、与党、AKPが第一回投票で大統領を選出できるだけの議席をもっていなかったことに眼をつけ、他の野党とともに投票をボイコットした。大統領を選出するという重要議題で議会への出席を拒むというのは前代未聞のことであり、政党政治と議会制民主主義を否定するものだった。さらにCHPは、第一回投票で選出できない以上、大統領選挙そのものが成立しないとして憲法裁判所に大統領選挙の無効を訴えた。世俗主義派が力をもっていた憲法裁判所も、この奇策を認めた。

エルドアン首相(当時)は激怒した。議会を構成する政党が、その責任を放棄するなら民主主義は成立しないとして議会を解散し、総選挙に打って出た。結果は、再びAKPが与党となったのだが、やはり第一回の大統領選で選出するだけの議席を得られなかった。だが今度は野党の一つがボイコットをやめ、イスラーム主義者のアブドゥッラー・ギュルが大統領に選出された。

しかし、問題はこれにとどまらなかった。議会での大統領選の第一回投票日に、軍が統合参謀本部のウェブサイトに談話を発表し、国軍は建国の父が定めた世俗主義の決然たる擁護者であり、大統領選挙(与党のイスラーム主義者ギュルが選出されること)を懸念をもって注視していると述べたのである。

当時、私は軍の幹部と何度も意見交換をした。再びクーデタを起こしてでもトルコのイスラーム化を押さえ込むために政治介入するつもりがあるかどうかを探ったのだが、私の印象では、もはやそれは不可能だというものだった。AKP政権下での高い経済成長と外交力の向上を妨害するような政治介入をしても、国民がついてこないことを当時の軍幹部は認めていた。

二〇〇七年の談話は、それでも明らかに軍による政治干渉であった。エルドアン首相と与党は激しく反発し、解散総選挙では、軍の政治干渉を排除するための新システム、すなわち大統領の公選制、強い権限を与える新制度の導入、そのための憲法改正の必要性を訴えることになった。そして一四年に、トルコ史上初の直接選挙によってエルドアンは大統領に就任したのである。

ＥＵは現在、エルドアン大統領の強権化を非難しているが、もとはといえば、この二〇〇七年の政変で親西欧・世俗主義派のＣＨＰという野党が、あまりに稚拙な戦略をとったことの反動であったことは記憶しておかなければならない。

批判を増幅させた大統領への権限集中

ヨーロッパの側は、この変化を「イスラーム政治に退行した」ととらえている。西欧世界にとって、イスラームが政治の前面に出ることは9・11以来、忌まわしいこととなっていた。しかしトルコ国民の多数は、ＡＫＰの最初の一〇年は民主化の進展ととらえていた。

二〇一七年四月、トルコでは憲法改正を問う国民投票がおこなわれ、賛成が五一・四％と僅差で上回った。この選挙は、国内外でかなり厳しい批判を受けた。批判の要点は、すでに強権化を進めていたエルドアン大統領に、さらに権力を集中させるというところにあった。軍による政治や司法への介入を阻止する内容も含まれていたのだが、大統領が政党の代表を兼ねることができるとした点は、与党内からも批判を受けた。国家の頂点に立つ人物が、政党のリーダーを兼ねるのでは、複数政党制のもとで築いてきた議会制民主主義を否定するものと受け取られたからである。AKPを結党以来支えてきた盟友たちも相次いで政権を離れ、経済の停滞も手伝って、二〇一九年の地方選挙では、アンカラやイスタンブールで市長の座を野党側に奪われることになった。

ドイツやオランダでは、トルコの憲法改正への批判が強かった。他国の憲法改正を批判するのは内政干渉だが、EU諸国は、時に応じて、トルコを加盟候補国扱いし、言うことを聞かせようとする。加盟交渉が進展していたのであれば批判は妥当なものだったが、EU自身が交渉を途絶させたことが、大統領への権限集中を招くきっかけにもなったのである。

トルコの憲法改正を問う国民投票のキャンペーンは、在外トルコ国民が多いドイツやオランダなどEU加盟国でもおこなわれた。エルドアン大統領は側近を送り込んで支持を訴えようとしたが、ドイツでは政権側のキャンペーン集会がなかなか認められず、オランダに至ってはそのために訪問しようとしたチャウシオウル外相の乗った飛行機の着陸を許可しなかった。外相の乗った飛行機を着陸させないというのは、外交儀礼に反する行為であり、トルコ政府は激しく抗議した。エルドアン大統領はオランダやドイツをファシストと呼んで批判したため、EU諸国はますますエルドアン政権に対する嫌悪を強めた。

不可解なクーデタ未遂事件

そのうえ、二〇一六年七月一五日のクーデタ未遂事件以降、叛乱を企てたとされるギュレン運動の支持者をいっせいに追放、逮捕、起訴、収監してきたことがEU各国から厳しい批判を招いた。

この事件は、不可解なものであった。トルコ国軍が以前のように、クーデタを起こして国民がそれを支持する状況にはなかったからである。

それが二〇一六年になって、突然、軍の一部が叛乱を起こした。それも、与党幹部を逮捕したり、暗殺したりするのではなく、空軍機が市民に向けて機銃掃射をし、国会などを爆撃した。戦車が市内に繰り出したものの、怒った市民たちに止められてしまう始末だった。市民を殺害するという暴挙は、それまでのトルコ軍によるクーデタとは、きわめて異質で杜撰《ずさん》なものだった。

政権側は態勢を立て直すと、直ちにフェトフッラー・ギュレンというイスラーム指導者を崇拝する集団(FETÖ)による犯行と断定した。私は、この組織がそこまで軍の内部に根を張っていたことを知らなかった。

ギュレンというのは世俗的な人びととの懸け橋になるようなことを説いていたイスラームの説教師であって、イスラームを政治にどのように反映させるのか、イスラーム法と現実の政治をどう関係させていくのかというビジョンは示していなかった。ひたすら善行運動を説くこの人物が、きわめて組織的に軍や官庁のなかに根を張っていたと政権側は主張するのだが、その実体は、外部者には見えにくいものだった。表向きムスリムでない人びととも友好的な関係を築き、組織の内部では秘密結社のような強固な結束をもっていたようである。

エルドアン政権は、ギュレン運動がトルコ国内のみならず世界中に根を張っていくことによって、巨大な資金をもち、二重権力の構造になっていくことを恐れるようになった。そこで彼らの資金源となっていた予備校を閉鎖に追い込んだのだが、ギュレン運動側はこれに反発した。そして警察・検察の同調者を動員して、二〇一三年一二月にはエルドアンの側近閣僚や親族の不正蓄財を暴露してしまう。ここで政権とギュレン運動の関係は決定的に悪化した。

そして二〇一六年七月一五日、ギュレン派の軍人がクーデタ未遂事件を起こすに至ったと考えられている。ギュレン運動は、民主主義と法の支配への脅威として、テロ組織に指定され、関係者は大量に訴追された。トルコ政府は、二五一人もの死者と二二〇〇人近い負傷者を出したテロ組織を徹底的に壊滅させると内外に宣言した。ギュレン運動の側は、クーデタ未遂への関与を否定している。

EU側はドイツをはじめとして、このような状況では、とうていEU加盟交渉を続けられないという立場を明確にしている。だが、ここでも二〇〇五年に始めた加盟交渉を〇六年に一方的に中断してしまったことが影を落としている。早期に加盟を実現していれば、民主主義や基本的人権に関してトルコはEUの基準から後退することはできなかったし、問題に対しても、EUが一致して対応にあたることができたはずである。

エルドアン政権によるイスラーム・ポピュリズム

それまでの体制が軍の強い影響力のもとで世俗主義を押しつけ、体制イデオロギーへの批判を許さなかったのに対し、エルドアン政権は「信教の自由」、「表現の自由」を保守的ムスリムの意向に沿う形で実現したのである。したがって、敬虔なムスリムにとっては、公的空間でのスカーフやベールの着用が禁じられた過去に比べれば、明らかに自由となり、エルドアン政権は「リベラル」ということになった。

エルドアンの主たる敵は、ことあるごとに政治に介入した軍部と体制イデオロギーとしての国家主義と世俗主義の守護者たる司法だった。彼は、この二つの敵の力を削ぐ目的から、「リベラル」であることを内外にアピールしたのである。

エルドアン大統領は、確かにポピュリストである。彼を熱狂的に支持する民衆を動員して批判勢力を封じ込めてきた。だが、彼は一九九〇年代の半ばにイスタンブール市長となってから、弱者救済というイスラーム的公正を実現した稀有な政治指導者であったからこそ、民衆を動員できる力を備えたのである。

四半世紀前まで、イスタンブールは常に水問題が深刻だった。一日に二、三時間しか給水されないこともふつうだった。そして都市人口の半数以上はゲジェンコンドゥとよばれる不法占拠集落の住民だった。登記がないから、上下水道や電気をはじめとするインフラも整備されなかった。貧困層には、何一つ将来の展望がなかったのである。

エルドアンはそれを劇的に改善した。ダムの建設を積極的におこない、水問題は解消され、全国での火力発電所の増設で停電もなくなった。なにより都市貧困層に近代的な集合住宅を廉価で供給したことは、彼への支持を盤石のものにした。イスタンブールでは、最大の都市問題の一つだった交通渋滞をメトロバスというまったく新しい方法で緩和した。近郊と都市を結ぶ幹線道路の中央二車線を分離して、専用の長いバスを走らせたのである。自家用車で通勤する中流層は渋滞が、いっそうひどくなったことに不満だったが、車を持たない貧困層にとっては大変な朗報だった。

ＡＫＰが市長の座を得た都市では、インフラの整備が急速に進んだ。都市公園、地下鉄、天然ガスによる都市ガスの導入などは、庶民の暮らしを一変させたのである。貧困層の上昇に何一つ寄与しなかった親西欧・世俗主義のエリート政党、ＣＨＰは力を失った。ひどく家父長的な性格をもつ中道右派政党も軒並み衰退した。

ムスリム弱者の側に立つことを鮮明にしたトルコ

エルドアン率いるＡＫＰは、パレスチナ問題で窮地に陥っているガザに対して強い連帯を示した。欧米諸国が、ガザで政権を担当するハマスをテロ組織として交渉を拒否したのに対し、トルコは、民主的な選挙プロセスで選ばれた以上、対話を継続するという姿勢を崩さなかった。二〇〇八年の年末、イスラエルはパレスチナのガザに猛攻撃を加えた。最初はイスラエル軍によるハマス戦闘員の殺害があり、それに対してガザのイスラーム組織ハマスの軍事部門がミサイルを撃ち込んだ。今度は、イスラエル軍が激しい報復攻撃をして一三〇〇人余りの死者を出した。うち三分の一は子どもたちが犠牲になったとされる。地上部隊もガザに進撃し、国連（UNRWA）の運営する学校までが標的とされた。

年が明けて二〇〇九年一月下旬、スイスのダボスで開かれた世界経済フォーラム（ダボス会議）では、ガザ問題の緊急パネルが開かれた。国連の潘基文事務総長、イスラエルのペレス大統領、トルコのエルドアン首相（当時）、アラブ連盟のアムル・ムーサ事務局長がパネリストだったのだが、その席でエルドアン首相はペレス大統領に向かってこう言い放った。

「あなた方は殺人の仕方をよく心得ている。私は、あなた方が浜辺で遊んでいた子どもたちをどのように狙い撃ちにして殺したかをよく知っている」

公式の場で、イスラエルの国家元首を人殺し呼ばわりするには相当の決意がいる。世界中から「反ユダヤ主義者」のレッテルを貼られるからである。だがエルドアン首相はひるむことなく、さらに発言を求めたが、慌てた司会者が制止したため、「自分に話させないなら、ダボスは終わった」と席を蹴って出て行ってしまった。アラブ連盟の事務局長は立ち上がって、エルドアンに何事か言おうとしたが彼は取り合わずに壇上から去っていった。

エルドアンのこの対応は、よく計算されたものだったが、二つの衝撃を与えた。一つは、西欧世界に対するもので、NATO加盟国としてアメリカの同盟国であるトルコが公然とイスラエルに反旗を翻《ひるがえ》したことである。もう一つは、パレスチナのガザ、ミャンマーのアラカン(ロヒンギャの集中する地域)、そして新疆ウイグル自治区のように、ムスリムが理不尽な境遇にあると、トルコ政府が支援のための具体的な行動に出るようになったことである。イスラーム世界にありながら、西欧世界の一員になろうとして受け入れてもらえないトルコは、これを機に変わっていく。スンニー派イスラーム世界のリーダーをめざすのである。ただしそれは、国家として覇権をにぎろうというのではない。世界中のスンニー派ムスリムの誰がみても、イスラーム的に正しいことを為政者がおこなうという意味でのリーダーである。

もちろん、経済力で優位に立つサウジアラビアなどアラブの大国は、この態度を苦々しくみている。サウジアラビアのムハンマド・ビン・サルマン皇太子は、自国ではきわめて保守的なサラフィー主義(外からはワッハーブ派と呼ばれることが多い)を緩めて、西欧に開明的な改革者としての姿をアピールしているが、その一方で、隣国イエメンの内戦に介入し、夥《おびただ》しい子どもたちを窮地に追いやった当人である。つまり、欧米向けの顔をしながら、イスラームの根本的道徳に反する非道な行為を躊躇しないのである。当然、エルドアン政権は、サウジアラビアの若きプリンスに対して手厳しい批判を浴びせている。

ガザ支援船襲撃事件

二〇一〇年五月三一日、トルコを中心に複数の国の活動家が参加し、パレスチナのガザに食料や医薬品などの物資を搬入しようとしていた国際NGOの支援船「マーヴィー・マルマラ号」(青いマルマラ海の意味)が公海上でイスラエル海軍に急襲されるという事件が起きた。死者は一〇人に達した。国際NGOとはいえ、トルコの人道支援財団・İHH(İnsani Yardım Vakfı)が中心となっていて、イスラエル軍に殺害されたのもトルコ人活動家だったところから、トルコとイスラエルの外交関係が一気に悪化した。エルドアン首相がこの攻撃に激しく反発したことは言うまでもない。

当時のダウトオウル外相は、ただちに国連安保理に緊急招集を要請し、イスラエルに対する非難声明を採択させることに成功した。ガザは事実上封鎖されており、「開かれた監獄」の状態にあった。これを何とかしようということで、地中海側からNGOが乗り込もうとしたのだがイスラエル海軍は拒否し、拿捕《だほ》すると警告していた。トルコ外務省も、イスラエルとの関係悪化を懸念していたが、このNGOはエルドアン首相をはじめ政府首脳の意向を受けており、支援のための航海を強行した。したがって、多分に政治性の強い事件なのだが、イスラエルとしては公海上の襲撃であったことから弁明は許されず、結果的に二〇一三年にオバマ大統領の仲介で、トルコに対する謝罪と賠償金の支払いを飲まされることになった。

この事件は、ガザの封鎖という放置された問題に世界の関心を引き寄せることに成功しただけでなく、伝統的に親米でありイスラエルとも良好な関係を維持してきたトルコが、中東の諸問題、とりわけムスリムが虐げられている状況に対して決然とした態度をとることを示すことになった。

トルコの存在

前に書いたとおり、二〇一一年にシリア内戦が始まると、エルドアン首相は、自国民を無差別に殺戮《さつりく》したアサド政権の暴虐を厳しく批判した。内戦の犠牲者の多くはスンニー派ムスリムであり、当然のこととしてトルコは逃れてくる人びとを受け入れた。

エルドアン自身、過酷な運命に翻弄された難民たちを批判したり、排斥したりすることはなかった。エルドアンという政治家はイスラーム主義のポピュリストであるがゆえに、貧困層や戦争の惨禍にある人びとに寄り添う姿勢を崩さない。彼のポピュリズムというのは一国主義にもとづいていない。アフリカのソマリアからミャンマーのロヒンギャにまで、イスラーム世界で幅広い民衆の支持を集めたのである。

二〇一五年にピークを迎えたヨーロッパ難民危機は、実は、なんら解消されていない。EUに隣接するトルコには、いまだ三五八万五〇〇〇人の難民が滞留している。UNHCRに登録されている中東諸国のシリア難民だけで五五四万四〇〇〇人に達している(UNHCR、二〇二〇年六月一一日)。もし、トルコがEU加盟国となっていれば、難民の奔流《ほんりゅう》によって、ヨーロッパ各国で排外主義が高まることはなかったかもしれない。

二〇〇六年一二月、EUがトルコの加盟交渉中断を発表してまもなく、私は、当時勤務していた一橋大学のゼミの学生とともに、当時のアブドゥッラー・ギュル外相(後に大統領)と会った。その日、EUとの交渉決裂を受けて、トルコの加盟に前向きだったイギリスのブレア首相と、ドイツ、シュレーダー政権で外相を務めたヨシュカ・フィッシャーもアンカラを訪れた。その合間に、日本の学生たちに語ったEU交渉に対するギュル外相の想いを、以下に抄訳する。

　トルコはヨーロッパとアジアの二つの大陸にまたがる国です。その点でトルコは現実にヨーロッパとアジアの架け橋なのです。ヨーロッパはキリスト教社会、そしてアジアや我が国には大きなイスラーム社会が存在します。その意味でも、トルコは西欧とイスラームという二つの文明社会の架け橋という役割を担う重要な国です。われわれとEUとの関係は、戦略的基盤にもとづいたもので、一九六〇年代にスタートしました。つまり、およそ半世紀にわたって、われわれはヨーロッパとの統合を目標に進んできたのです。

長い道のりを経て、トルコは一九九五年にEUの関税同盟に参加(注　発効は九六年)しました。加盟以前にEUとの関税同盟を締結した国はトルコだけです。これは大胆な決断で、困難を伴う道のりでした。その後、一九九九年に正式加盟交渉の候補国となり、二〇〇四年には正式加盟交渉の開始が決定され、二〇〇五年から交渉開始となったわけです。トルコは、ムスリムの、近代的な、そして民主主義を実践する国家です。この点でも、大きな役割を果たしています。トルコが、EUから課されている課題をクリアすれば、加盟国の不安も払拭《ふっしょく》され、彼らはトルコに対する政策を変えることになるでしょう。われわれは、確信をもって、加盟交渉の道を進み続けていきます。

われわれは歴史のなかで「アジア人」であると同時に、ヨーロッパの深部にも位置していました。トルコ共和国の前に、オスマン帝国がありました。オスマン帝国の領土は、ヨーロッパ全土の半分を占めていて、五〇〇年以上にわたって統治してきました。

歴史的には、好ましいことも、悲しむべきこともあったのは事実です。しかし、この間、オスマン人は、この統治を通じて抑圧的ではなかったはずです。もし、五〇〇年ものあいだ、オスマン帝国が抑圧者として振る舞ったなら、民族、宗教、言語を忘れさせ、同化を図っていたでしょう。

しかし、オスマン帝国支配下の人びとは、自分たちの言語、宗教、民族的アイデンティティを維持してきました。つまり、オスマン帝国の統治には、きわめて大きな寛容の精神があったのです。アフリカやマグレブ（北アフリカ）でも、四〇〇年から五〇〇年近く統治しましたが、一つの言語も消滅させることはありませんでした。しかし、われわれの後に来たヨーロッパ人たちは、わずか三〇年から四〇年のあいだに、現地の人びとの言語を忘れさせ、アイデンティティを失わせてしまいました。同化させたのです。

私はこう言いたいのです。何百年ものあいだ、われわれはヨーロッパの一部でした。ヨーロッパとわれわれは、過去五〇年（注　EU加盟交渉開始以来）の関係ではないのです。それだけの関係ではないのです。過去五〇〇年のあいだ、ヨーロッパの中央にあり、片足をヨーロッパに踏み入れていたのです。

（アブドゥッラー・ギュル外務大臣へのインタビュー抄訳、二〇〇六年一二月一五日、訳は筆者）

4章　イスラーム世界の混迷

1　「イスラーム国」とは何だったのか？

「イスラーム国」誕生

二〇一五年から一七年にかけて、ヨーロッパ諸国は相次ぐテロに見舞われた。事件の多くは、事後に自称「イスラーム国」が犯行を称えるメッセージを出したり、自分たちの戦士が犯行に及んだとする声明を出したりしたので、世界では「イスラーム国」によるテロとして知られた。

事件が起きた当時、「イスラーム国」はシリアとイラクにまたがる領域を支配していて、アメリカを中心とする有志連合軍だけでなくロシア軍、クルド武装勢力などと激しい戦闘を続けていた。最初にイラクで誕生し、瞬く間に内戦に乗じて西のシリアに勢力を拡大したのである。

「イスラーム国」は、二〇一四年六月に建国を宣言したイスラームによって統治するスンニー派の「国家」である。日本政府は、彼らがそれ以前に名乗っていたＩＳＩＬ(Islamic State in Iraq and Levant)、すなわち「イラクとレバントのイスラーム国」という呼称を使っている。レバントというのは、日本では聞きなれない地名だが、いまのシリア、レバノン、ヨルダン、パレスチナなどの地域を示す呼称で、かつてヨーロッパがつけたものである。アメリカがそう呼んだので、日本政府はそれを踏襲《とうしゅう》したのだろう。

アラブ諸国やトルコでは、「イスラーム国」を否定的に使う際には、「ダーイシュ」と呼ぶ。ダーイシュも、もとはアラビア語でDawla al-Islamiya fi Iraq wa al-Sham(イラクとシャームのイスラーム国)の頭文字をとったアクロニムで、シャームというのがシリアやレバノンなどの地域(今のシリアを拡大した地域)の呼称である。これ自体としては別に否定的な意味はないのだが、アラビア語でダーイシュと言うと、ひどく侮蔑的な意味合いの言葉になるため、「イスラーム国」を拒絶する国家はダーイシュを使った。

この本で「イスラーム国」というように括弧をつけたのは、一般に知る国家、つまり主権と領域をもつ国民国家とは異なるからである。そして、イスラーム(教)の国という意味との混同を避けるためでもある。

もちろん、欧米諸国など非イスラーム圏では、「イスラーム国」を国家として認める意見は皆無であった。テロと残忍な行為が世界の注目を集めるようになると、ムスリムのなかにも「イスラーム国」はイスラームとは何の関係もなく、残忍な戦闘員たちはムスリムですらないと言い切る人びとは増えていった。

では「イスラーム国」とは何だったのか。現代の世界では、国家の三要素として、領域、主権、国民を挙げるが、イスラームでは主権というものは神にあるのであって、国民にも国家にも主権はない。国家が国民から成るという観念もない。完全にイスラームの原理に従って統治する「国」だというのである。そして預言者ムハンマドの代理人としてのカリフを戴《いただ》き、アブー・バクル・アル・バグダーディーなる人物が即位したと、二〇一四年六月二九日に宣言した。

ムスリムでない人間にとっては、まったく馬鹿げた話であったし、多数のムスリムにとっても時代錯誤の過激思想にしかみえなかった。ここでは立ち入らないが、シーア派はまったく異なる統治原理にもとづいてムスリムを率いるので、もとより「イスラーム国」とは相容れない。しかし、一四〇〇年前にイスラームが誕生した時代には、当然のことながら、現代のような国家は存在しなかった。「イスラーム国」は、草創期のイスラームに忠実な国家像をもとに、それを現代の世界に実現しようとしたものだから、世界の国家秩序と真っ向からぶつかることになったのである。しかも、彼らの信じるイスラームの国を実現するのに、ひどく暴力的で残忍な手段を使ったことから、多くのムスリムからも忌《い》み嫌われることになった。

イスラームの考え方と異なる点

イスラームには、人種や民族によって人を区分する考え方がない。したがって、同じ民族から国家をつくるという民族国家の考え方はない。信徒の共同体(ウンマ)が国家を成し、そのなかのムスリムが国民ということになる。その頂点に立つのがカリフ(預言者の代理人)である。もちろん、他の宗教の信徒がいてもかまわないのだが、ムスリムが統治者である場合、ユダヤ教徒やキリスト教徒、すなわち他の一神教徒は納税の義務を果たすことと引き換えに庇護民となることを受け入れれば、その地に暮らせるという不平等下での共存となる。イスラームの国家だったオスマン帝国の首都イスタンブールやバルカン半島でもキリスト教徒やユダヤ教徒がふつうに暮らしていたのは、そのためである。

「イスラーム国」が建国を宣言する以前のイラクもシリアも、イスラーム法による統治とは無縁だった。したがって、「イスラーム国」統治下に入ると、キリスト教徒やユダヤ教徒は、イスラームに改宗するか、納税と引き換えに庇護民となるか、戦うか、あるいは出ていくことになる。この点は、イスラーム法学者の中田考が実際に「イスラーム国」を訪問した際の記録(『イスラーム国訪問記』現代政治経済研究社、二〇一九年)にも記されているが、キリスト教徒だという理由だけで処刑されるというようなことはなかったはずである。

「イスラーム国」によってひどい迫害を受けたことで知られるヤズィーディーの人びとは、一神教徒とみなされなかったか、あるいは出ていくことを拒んだため、「イスラーム国」によってあらゆる暴虐の被害を受けることになった。彼らに対する迫害を正当化する余地はない。

「イスラーム国」は、過去のイスラーム国家であったオスマン帝国のように、異教徒との共存のための方策を考えることもなく、ひたすら突っ走るだけだったことが、世界から嫌悪される原因の一つとなったのである。

イスラームによる「国」とは

イスラームは七世紀にアラビア半島で生まれ、預言者ムハンマドもアラビア語を母語とするアラブ人だったのだから、アラブ民族が優越しているのではないか、と思われることが多いのだが、イスラームには民族による優劣の観念は存在しない。ムスリムになるには、唯一の、そして絶対者としてのアッラー(神)だけを信じ、ムハンマドが至高の使徒(預言者)であることを受け入れればよいのである。

神(アッラー)からムハンマドに下された啓示はアラビア語だったから、それを編んだ聖典『クルアーン』も当然アラビア語である。しかも、キリスト教の聖書のように翻訳したものを聖典とは認めないから、当然、アラビア語を母語とする人たちのほうが学びやすいのだが、それは社会的な身分格差のようなものには結びつかない。どこの国の、どの民族に属していようが、唯一神アッラー(神)に帰依し、アラビア語を習得して『クルアーン』や預言者の言行録である『ハディース』(何種類か真正なものと評価されるものがある)を正確に原典で読み、暗記し、一〇〇〇年にわたって展開されてきた無数の神学、法学の書を読めば学識を備えることはできる。到底、生半可な勉強でできることではないが、アラブ人だからといってこれができるわけではなく、日本人だろうと、トルコ人だろうと、インドネシア人だろうと、要はアラビア語を極めたうえでイスラーム学を修めれば差別もなく、学識を尊重される。

一般のムスリムは、『クルアーン』や『ハディース』に日常生活のルールを探そうと思っても、膨大なうえに、必ずしも自分の疑問に直接答えてくれる文章を簡単に探せるわけではない。そこで先生が必要になる。その先生が、法的な解釈に長《た》けていれば法学者であり、内面の信仰の問題に長けていれば神学者ということになる。イスラームには神に代わって罪を赦《ゆる》してくれるような聖職者は存在しないし、教皇を頂点とするカトリックのような教会もない。だからこそ、先生が重要な役割を果たすのである。

しかし現実に、ムスリムが住んでいる「国」は、ほとんど世俗の国家である。世俗の国が「資格」を与えたイスラームの先生が、本物かと言われると、学識は本物であっても、政治的な意見はイスラームを歪めてでも国家に従う可能性がある。

世俗国家の究極の存在がトルコで、憲法にも世俗の国家と明記されている（3章参照）。現在では、イスラーム的な服装は着たければ着ればいいだけで強制されないし、イスラームでは大罪とされる飲酒にも法的な規制はない。そのトルコでは、国家機関である宗務庁の公務員でなければモスクで礼拝を指導できないし、イスラームに関する説教をすることもできない。いわばイスラームの国家統制だが、現在の諸国家体制というものは、イスラームとは無縁の領域国民国家であり、主権国家から成り立っているためにそうなってしまうのである。

逆に最もイスラーム国家に近いのが、サウジアラビアのようにイスラーム国家を名乗る国である。だが、それでもイスラームどおりに国を統治しているわけではない。こういう折衷型《せっちゅうがた》の「いい加減な」ムスリムの国家を全面的に否定しようというのが「イスラーム国」だったのである。だから、彼らは、欧米諸国だけでなく、ムスリムの国家を敵視し、さらにはムスリム自身を信仰に忠実でないとみなすと処刑したのである。

トランプ政権とアラブ諸国の関係

二〇一七年一二月、アメリカのトランプ大統領は、エルサレムをイスラエルの首都として承認し、アメリカ大使館をそれまでのテルアビブからエルサレムに移転させた。この問題は世界に衝撃を与えた。長年、イスラエル自身は首都がエルサレムだと主張してきたのだが、国連安保理決議二四二号によって、一九六七年の第三次中東戦争でイスラエルがアラブ側から奪取し、占領した土地からは撤退せよということになっている。エルサレムについても帰属がイスラエル、パレスチナ双方によって決まるまで、イスラエルの首都にはしないことになっていた。だから世界中の国々は、大使館をテルアビブに置いてきたのである。

そこにトランプ大統領が楔《くさび》を打ち込んだ。もちろん、パレスチナの人たちだけでなく、全世界のムスリムは強く反発した。イスラームの聖地としてのエルサレムがイスラエルの手によって奪われることへの怒りもあったし、いっこうに権利を回復できないパレスチナの人びとに対する弱者救済の気持ちが、横暴なトランプ政権への敵意となって表れた。

ところで、世界を揺るがせたこのトランプ大統領の決定に対して、サウジアラビアはどうしたのだろう？　昔ならアラブ諸国の盟主の一つとして非難するところだが、ほとんどおざなりな反対意見を述べただけで沈黙した。アラブ首長国連邦（UAE）も同じだった。エジプトも反対を表明したものの、すぐに沈黙してしまった。つまり、サウジアラビアを筆頭にUAEやエジプトも、トランプ政権がイスラエルと仕組んだエルサレム首都移転問題に真っ向から反対しなかったのである。

サウジアラビア、UAE、クウェート、カタール、バハレーンと、主だったペルシャ湾岸の産油国にはアメリカ軍の基地があり、アメリカによって軍事的に守られている。なかでも、サウジアラビアとUAE、バハレーン、そしてエジプトの四カ国は、いまや完全にトランプ陣営の同盟国でありイスラエルとも友好関係にある。

かつて、一九六〇年代、七〇年代の前半まで、イスラエル対アラブという対立構造が中東政治の基本にあったのだが、いまやそれは消滅している。パレスチナへのイスラエルの侵略と戦争に対抗してアラブ諸国が結束して戦ったのは一九七三年の第四次中東戦争が最後で、その後、アラブ諸国はアメリカの軍事的な保護を受ける方向に傾斜し、実質的にパレスチナを見捨てていった。エルサレムへの大使館移転問題が表に出たとき、日本のマスメディアのなかには、第五次中東戦争の始まりかと懸念を表明したところもあったが、そんなことは起きるはずがなかった。国を超えたアラブ民族主義は、四〇年も前に力を失っていたのである。

それに代わって、この地域でのアメリカの横暴や、アメリカに迎合する国家群に対して異議を唱え、力で対抗しようとするのは「イスラームを掲げた政治組織」である。「イスラーム国」も、その一つであった。

パレスチナを裏切ってしまったアラブ諸国家の指導者たちとは違って、民衆のなかには、パレスチナの人びととの連帯感は当然残っている。パレスチナだけではない。一九九一年の湾岸戦争、二〇〇一年のアフガニスタン侵攻、二〇〇三年のイラク戦争と、たびかさなるアメリカとその同盟国による戦争は、民主主義を否定する権力者を倒しただけではなかった。いずれも、罪もないムスリム市民に途方もない数の犠牲者を出している。世界中のムスリムが、そのことに激怒したのは当然だった。国家の長たちが権力の座にしがみつくために曖昧《あいまい》な態度を取り続けたのに反して、ムスリムの民衆は、怒りを募らせていたのである。その結果、ムスリム同胞団からアルカーイダ、そして「イスラーム国」にいたるイスラーム主義政治組織が相次いで力をもち、西欧世界にとって最大の脅威として立ち現れたのである。

サウジアラビアは、なぜカタールと国交断絶したのか？

サウジアラビアは、二〇一七年にムハンマド・ビン・サルマン皇太子のもとで、カタールと国交を断絶した。UAEやエジプトを仲間に引き入れて、経済封鎖もおこなった。理由は主に二つある。

その一つは、カタールがシーア派の大国イランとも外交関係をもち、通商をしてきたことが気に入らなかったことにある。

もう一つは、ムスリム同胞団というイスラーム主義の組織をカタールが支援していることだった。サウジアラビアは、あちこちの国で草の根型のイスラーム運動の主役となってきたムスリム同胞団をひどく嫌っている。サウジアラビアは、その一方で厳格な信仰実践を求めるワッハーブ派の国である。

いったい何が違うのか、私たちにはわかりにくい。一言で言ってしまえば、ワッハーブ派はサウジアラビアの支配者であるサウド家と盟約を結んだ際に、政治には口を出さないことを約束したのである。その教義というのは、「イスラーム国」と基本的に同じで、イスラーム生誕のころの原点回帰を志向する。原点回帰志向の人たちをサラフィーという。ワッハーブ派というのは、始祖の名前に由来するが、通常、自分たちではこの名を使わない。いまのサウジアラビアの国王の先祖と、決して王家には逆らわないと約束したうえでサウド王家の宗派となった。

だから、教義は厳しいものの、サウジアラビアの王家が政治的にいかにイスラームに反することをしても、それは争わないというのが、ワッハーブ派の政治的な立ち位置となった。

しかし、世界のムスリムにとっては、サウジアラビアのサウド王家との約束など関係ないのであって、イスラームにもとづく世直し運動を通じて政治改革を求める人びとは当然いる。ムスリム同胞団もそういう組織の一つだから、サウジアラビアは警戒したのである。

しかしサウジアラビアでも、王政がイスラームの教えから外れすぎていることに苛立ちを募らせた人たちが、過激な政治的行動に出るようになった。9・11同時多発テロ事件の首謀者とされたオサマ・ビンラディンもその一人である。

他方、ムスリム同胞団のほうは、貧しい人、弱い立場の人たちのための活動を中心にしていたが、ムスリムにとってあまりにアンフェアな事態が続いてきたことで、イスラーム的な公正を実現し、体制変革を求める政治運動に結びつきやすい。

カタールの首長(アミール、実質的には国王)であるサーニー家は、先代のハマド首長から今のタミーム首長にかけて、アラビア半島、ペルシャ湾岸の産油国のなかで、独自の政治的なスタンスをもっている。宗教上は、ワッハーブ派と同じく原点回帰型なのだが、国の政策としては類稀《たぐいまれ》なバランス感覚をもっており、一方で、アメリカ軍の中東最大の基地を受け入れながら、他方で各国で迫害されたムスリム同胞団員を受け入れてきた。

世界的に影響力のある国際衛星放送局のアルジャジーラには、カタール王家が資金の大半を提供している。そしてまた、アフガニスタンのタリバンが、唯一、国外での代表部をもつことを認めているのもカタールである。二〇一九年から二〇年にかけて、アメリカとタリバンとの和平交渉がおこなわれたが、その舞台となったのもカタールであった。つまり、サウジアラビアやUAEとは違って、イスラーム世界に対しても、欧米諸国に対しても開かれた国としてのイメージを打ち出す特異な小国なのである。

「アラブの春」がもたらした領域国民国家の崩壊

二〇一〇年一二月、アラブ諸国で途方もない大きなうねりが起きた。市民が長年の独裁体制に異を唱え、民主化を求める運動を起こし始めたのである。最初は、北アフリカのチュニジアだった。警察の賄賂《わいろ》の要求に抵抗した青年が商売道具の屋台を奪われたことに悲憤慷慨《ひふんこうがい》し、焼身自殺を図った。これをきっかけに、ベン・アリー大統領の政権に対して激しい抗議運動に発展し、大統領は翌年、サウジアラビアに亡命を余儀なくされた。チュニジアは初めて民主的で自由な選挙によって政権を選ぶことになった。「ジャスミン革命」と呼ばれたこの民主化運動の結果、ムスリム同胞団に近い「アンナフダ（エンナフダ）」というイスラーム主義政党が四一％の得票で第一党となり、世俗主義の「共和国のための会議」が一三％の得票で第二党となった。

リビアでも長年にわたるカダフィー大佐による独裁に終止符が打たれたが、その後も内戦が続いた（2章2参照）。

アラビア半島南端のイエメンでは、二〇一一年に三〇年以上も権力の座にあったサーレハ大統領が民衆の反政府運動で退陣した。だが、その後二〇一五年には、イエメンはさらなる内戦に陥った。シーア派勢力に属するアブドゥルマリク・アル・フーシーを指導者とする集団（フーシー派）と、サーレハ大統領の後を継いだハーディー大統領支持派が争い、ハーディー大統領は後に辞任したものの暫定大統領として勢力を維持している。しかし南部のアデンを中心とする南部暫定評議会も、ハーディー支持派とは別に独立を志向し、さらにアラビア半島のアルカーイダや「イスラーム国」も加わって、もはや誰が誰と戦っているのか傍《はた》からはわからないほどの混迷に陥った。

ＵＮＨＣＲによると、イエメンからの難民は三五万四〇〇〇人だが、逃げ場を失って国内避難民となっている人びとは三六〇万人以上、そして人口の八割にあたる二四一〇万の人びとが食糧や医薬品などの緊急援助を必要としている(二〇一八年)。

フーシー派のバックにはイランがつき、ハーディー前大統領の側には、サウジアラビアやUAEがついて空爆を繰り返してきた。南部暫定評議会は、UAEによって支援されていた。さらに、イエメン内戦について、国連は世界最悪の人道の危機だと何度も警告してきた。多くの子どもたちが飢餓にさいなまれ、コレラなどの病いに苦しみ、際限なく犠牲者が出ていることはシリアと同様の状況である。

西アジアから北アフリカ、西アフリカにかけて、いくつもの国家が崩壊し、人は国境の内にとどまることができなくなった。ヨーロッパの難民危機をみて、厄介な問題だと眉をひそめる人は多いが、その前に、これだけの国家の崩壊があることを知っておかなければならない。

エジプトで三〇年以上も独裁を続けたムバラク大統領のもとで、ムスリム同胞団は政党をつくることは禁じられていたが、組織は生き延びて、もっぱら恵まれない子どもたちの教育、貧困層向けの医療活動などをしていた。

長年にわたるムバラク大統領の独裁を倒そうとするエジプト市民の運動は、二〇一一年二月に大統領の辞任という形で革命を成し遂げた。その年の六月には、自由で民主的な選挙が初めて実施され、ムスリム同胞団をもとにした自由・公正党のモルシー大統領が誕生した。だが、富裕層や世俗的なエリート、それに軍部は、イスラーム主義の大統領を嫌い、追い落としを図った。そして一年後の二〇一三年七月三日には軍部がクーデタで政権を掌握《しょうあく》し、モルシー大統領を解任、逮捕し、ムスリム同胞団関係者を相次いで逮捕、訴追していった。八月一四日には、モルシー支持派の市民が集まるラバア広場とラバア・アル・アダウィーヤモスクが包囲され、支持派多数に死者と負傷者を出す事態となった。クーデタを起こした国防相のアブドゥルファッターフ・アッ・シーシー(以下、シーシー)は、ムスリム同胞団をテロ組織として、激しい弾圧を続けている。このときに、サウジアラビアやUAEなどはシーシーのクーデタを支持した。しかし、カタールとトルコはクーデタを批判した。そして、ムスリム同胞団系の活動家や知識人を受け入れてきたのである。そのため、カタール、トルコとサウジアラビア、UAEの関係はひどく悪化していくことになった。

エジプトの民主化を見捨てた欧米諸国

モルシー政権誕生当時には支持率が六〇%台後半にまで達していたが、一年を経ずに支持率は急落した。それは、貧困層にとって効果的な経済政策が打てなかったことに加えて、同胞団系の人物を国家の行政機関に配置するなどの人事が問題だった。

だが、モルシーが政権の座に就いたのは二〇一二年六月三〇日、クーデタは翌年の七月三日である。わずか一年で、三〇年以上、独裁を続けてきたムバラク政権のもとにあった行政組織をつくりかえ、利権構造を根本的に変えることはできるはずがなかった。

経済政策にしても、財源の確保のために、軍の傘下にあった企業からの税の徴収を強化しなければならなかったし、外国からの支援も仰がなければならない。だが、それらすべての職に軍と密接な関係者がいたのだから、軍がモルシーを脅威ととらえた瞬間、すでに、彼から権限を剝奪するための工作は始まっていたのであろう。

さらに、軍とともにムバラク政権で豊かな生活を享受してきた富裕層にとっても事情は同じだった。彼らも、長年にわたって貧困層への教育支援、福祉、医療などで大きな貢献をしてきたムスリム同胞団の政権となれば、自分たちから金《かね》を搾り上げるだろうと予測できた。だから、軍による追い落としを歓迎したのである。

それだけではない。西欧的な教育を受けた左派やリベラルの知識人は、イスラームというものが政治に持ち込まれることを「退行的」現象と思い込んでいた。彼らが西欧的な学識や教養を身につけていればいるほど、政治にイスラーム的倫理や公正観を反映させることを嫌悪するのである。

一方、貧困層で教育を受けていない人びとが「社会的公正は、いったいどこにあるのだ?」という声をあげるのは当然だった。彼らにとって、何が正しくて何が間違っているかという道徳の根幹はイスラーム以外にはない。宗教に依《よ》らなくとも社会道徳を教えることができるのは、西欧や日本を含めて、世俗主義の浸透した社会に限られている。

だからこそ、チュニジアでもエジプトでも、独裁体制が倒れ、自由な政治が戻った瞬間に、イスラームを政治に反映させようとするイスラーム主義の政治勢力が民衆の支持を得たのである。

少数のエリートと強大な暴力装置である軍部の手に握られてきた状態に黙って従えというのは、民主主義の根幹を否定するものであり、民衆にとって不公正なことである。アメリカのオバマ大統領は、当初、民主的に選挙されたモルシー政権を軍が転覆したことに不快感を示し、エジプトに対する年間一〇億ドルを上回る軍事支援を凍結した。短命に終わったモルシー政権は、パレスチナのガザとの境界を開いた。長年、「開かれた牢獄」と呼ばれ、外の世界との往来の自由を奪われてきたガザの人びとにとって、それこそ初めて、公正なことがなされたと喜んだはずである。だが、そこにイスラエルが強く反発した。過激派のハマスが、ガザからエジプトに入れば、武器がエジプトから彼らの手に渡り、それがイスラエル攻撃に使われるという恐怖である。

イスラエルにとって重要なパートナーであるエジプトを窮地に追いやるべきではないという意見が議会内で強まるにつれて、オバマ政権下でも、なし崩し的に、エジプトへの援助は元に戻された。そしてトランプ政権は、イスラエルの防衛のためにはエジプトにイスラーム主義勢力が台頭することは何としても抑える必要があるという点で、シーシー大統領と一致している。

ヨーロッパ諸国の態度も同じで、当初は、クーデタによる権力奪取を批判してみせたものの、その一年後には「イスラーム国」が台頭したため、「テロ組織」と戦うというシーシー軍事政権の主張を認める方向に舵《かじ》を切ってしまうのである。

「テロ組織」という言葉を使うには慎重であるべきだと、私は考えている。「イスラーム国」をはじめとして、自己の主張を実現するために何らの躊躇もなく暴力的手段を選び、しかもそれを一般の市民を突然恐怖に陥れ、犠牲にしてでも成し遂げようとするなら、テロ組織といってかまわないと思う。しかし、武力において圧倒的な差がある権力者に抗うための暴力の行使、そしてそれが一般市民への突発的な暴力に向かわないのであれば、「テロ組織」と断じることはできない。もちろん、暴力的な抵抗なしに、民意が実現できるのであれば、暴力の行使は許されないが、現実の中東・イスラーム世界では、あまりにも非道な政権が多いのである。二〇一九年六月、モルシーは、自身の裁判のために法廷に出て、その場で息絶えた。

ムスリムの想い

一時は「アラブの春」ともいわれた民主化要求の運動を、ムスリムはどうみていたのだろう。エジプト国民であろうと他国の国民だろうと、長年の独裁政権を倒して、自由な選挙が実現されたことを否定的にとらえるムスリムはいない。ムスリムが民主主義を理解できないということはまったくないのであって、誰しも、民意が政治に反映されることを望む。だからエジプトの民主化を喜ばないはずはなかった。だがムスリム同胞団の勝利には、ムスリムの意見もわかれた。イスラームにもとづいた政治は嫌だと考えるムスリムもいるし、イスラームにもとづいて政治をおこなうべきだと考えるムスリムもいる。選挙で、ムスリム同胞団が勝利したということは、イスラームを政治に活かそうとする民衆が多数を占めたことを示している。

今日、世俗的な国家において普遍的とされる民主主義の価値とルールからすれば、この勝利は尊重されなければならなかった。ムスリム同胞団の統治が失敗したなら、選挙で否定すればよかったのである。しかし、それは軍の力によって潰された。世界のムスリムにも、この動きに深く失望する人びとは少なからずいた。

実は広範な支持を集めていた「イスラーム国」

ムスリムにとって純正なイスラーム国家がないことの不満は、「イスラーム国」をはじめとする「イスラーム過激派」を誕生させる原動力となった。残虐行為やテロは事実であり、国際社会が「イスラーム国」の存在を許さなかったことはすでに述べたとおりである。

しかし、意外なことに、世界のムスリムのなかには「イスラーム国」を支持する人びとが相当数いた。アメリカのピュー・リサーチセンターが二〇一五年一一月一七日付けで公表した調査によると、ナイジェリアで一四％、マレーシアとセネガルで一一％、パキスタンで九％、トルコで八％の人が「イスラーム国」に好感をもつと答えていた。

ナイジェリアの人口は一億八六〇〇万、マレーシアは三二〇〇万、セネガルが一五四〇万、パキスタンは一億九〇〇〇万、トルコは七九〇〇万である。この調査は、ムスリム諸国での「イスラーム国」の支持率が低いと結論づけているのだが、支持者の数でみると途方もなく多い。ナイジェリアで二六〇〇万人、パキスタンでは一七〇〇万人、トルコでも六四〇〇万人もの支持者がいたことになる。既存の国家というものが、イスラームを正しく実践していないことに対して強い不満を抱いているムスリムは相当数存在するということを意味している。

イスラームは、壮大な法の体系をもっている。日常生活での家族法に関することから、契約のような商法に関すること、さらには戦時の国際法に相当することまで、すべてが網羅されている。すべて聖典『クルアーン』、もしくは『ハディース』に典拠があれば、そこから逸脱した解釈はできない。典拠がなければ、論理的に導き出せるかどうか、法学者の合意があるかどうかが精緻《せいち》に検討されて法解釈がなされる。国家の法というのは、国によってつくりが異なる。ところが、イスラームの法は国による多様性を前提としていないがゆえに、ユニバーサルでありグローバルにできているのである。インドネシアのムスリムに禁じられているものが、トルコのムスリムには許されるということはない。

だが現実には、国家の法、なかでも憲法がイスラーム法に優越してしまう。これでは、真の意味でのイスラーム国家とはいえないのだが、大半のムスリム世界がヨーロッパ列強の植民地から独立したとき、宗主国はみな置き土産として、領域国民国家としての体裁を整え、西欧の世俗法を導入させたため、ムスリムにとっての至高の法であるべきイスラームは、家族法など私的な領域に残るだけとなった。

現実の世界に生きるムスリムにとって、いわば人がつくった国家の法と、神が定めたイスラーム法のどちらが優位にあるのだろう？　両者は原理的には相容れない。

それでも、人がつくった国家の法のもとで生きていて、たいして不満を感じないのであれば、それでうまくいったのだろう。しかし、現実のムスリム諸国には、問題が山積している。

権力の頂点に立つ者、富の頂点に立つ者が、神によって、その地位を与えられただけで、己の才覚や力でそうなったのではないという自覚を忘れてしまうと問題が起きる。イスラームでは禁じられた行為を繰り返す王族たちの不品行、権力と結託することによって財を成し、その地位を守られている政商たちの存在は必ずムスリム民衆の怒りを買う。さらに、イスラームでは利子が禁じられている。その趣旨は簡単にいえば、寝ている間にお金が増えたり減ったりするというのはおかしいという感覚だが、現代でもその本質は変わらない。アラブの産油国は、石油収入で巨額の収入を得ながら、その金をイスラームとは無縁の金融市場で運用している。自国で働かせる労働者はバングラデシュ、フィリピン、ネパールなどからの外国人に依存しており、労働環境は劣悪だと報道されている。

ムスリム世界の国々は、このような格差や不平等をまったくといってよいほど是正してこなかった。

ムスリム自身がマジョリティを占めている国で、イスラームの法が実施されず、イスラームの根幹をなす弱者救済もなされず、問題が放置されてきた。しかも、ムスリムの同胞たちが途方もない苦しみのなかにいても、既存のムスリム諸国家はまったく助けてこなかったと言ってもよい。パレスチナ問題はその筆頭だが、いまやムスリム諸国の政府は、パレスチナ人が過激化するのを抑え込むことには熱心だが、イスラエルによる「占領」という問題の根幹には触れようとしない。

カリフが存在しないこと

「イスラーム国」を支持する人びとが、スンニー派のムスリムのあいだにかなり存在したのは、こういう裏切りと失望が長年にわたって積もりに積もってきた結果である。彼らにとって、最も本質的な問題というのは、預言者ムハンマドの代理人となって統治するカリフが存在しないことであった。シーア派は統治原理が異なるのでここでは触れない。

カリフ、あるいはカリフのもとでの統治であるカリフ制は、実は、九〇年ほど前まで存在した。最後のカリフはオスマン帝国の崩壊によって廃位されたアブデュルメジド二世(在位：一九二二〜二四年)である。カリフはイスラームの正統な継承者であり、したがってイスラームがもつ壮大な法の体系についてスンニー派のムスリム全体に判断を示しうる人でもある。その法にもとづいて政治権力の頂点に立つことになるのである。簡単に言ってしまえば、カリフがいないと、何がイスラーム的に正しく、何が間違っているのか、スンニー派の人びとに向かって号令をかける人間が存在しないことになる。

領域国民国家からなる今の世界では、ムスリム全体の共同体ウンマは分断されている。それでは困る、これはおかしい、何とかしなくては、と考えるムスリムが世界に相当数存在するのは当然である。カリフがいてくれたら、ずばりと正邪の別を示してくれたのに。カリフがいたら、ムスリムの共同体がこれほど存亡の危機に瀕することもなかったのに……現実世界の矛盾に敏感なムスリムほど、カリフが存在しないことこそ問題の根源だと信じているはずである。

「イスラーム国」がバグダーディーというカリフの擁立を宣言したのは、実は、すでに世界にひろがっていたカリフ待望論を受けてのことだった。だから、インドネシアでもトルコでもパキスタンでも、「イスラーム国」ができてカリフが誕生したという話が流れるや、朗報として歓迎したムスリムがいても不思議ではなかった。しかし、「イスラーム国」は占領した領域での統治があまりに未熟で、残忍な処刑や迫害を繰り返し、住民に恐怖を植えつけた。ただちにアメリカを中心とする有志連合軍が「イスラーム国」は史上最も危険なテロ集団だとして、その殲滅《せんめつ》を図るために大規模な軍事作戦を開始した。自称カリフのバグダーディーは、世界のスンニー派ムスリムへのメッセージを発するどころではなかった。少なからぬムスリムが待望したカリフ制再興の夢は、こうして事実上絶たれてしまった。そして、二〇一九年一〇月末、アメリカ軍の攻撃によって、トルコとの国境近くイドリブ近郊に潜んでいたバグダーディーは殺害されたのである。

2　アメリカによる戦争

カルザイ大統領の言葉

二〇〇一年の9・11同時多発テロの後、アメリカは首謀者のオサマ・ビンラディンを匿《かくま》っているという理由で、当時、アフガニスタンを支配していたアフガニスタン・イスラーム首長国(タリバン政権)に戦争を仕掛けて倒した。タリバン政権の過酷な支配を嫌うムスリムは、この攻撃をよしとした一方、アメリカがムスリムの世界を攻撃したことに激昂《げきこう》するムスリムもいた。ブッシュ政権は、戦争でアフガニスタンの人たちは解放されるのだ、女性は自由になるのだと叫んだが、アフガニスタンの民衆がそれ以後、自由を謳歌し、豊かになることはなかった。戦争と引き換えに巨額の援助資金がこの国に注ぎ込まれたが、それは政権中枢とその周辺に群がる軍閥や政商たち、さらにアメリカ自身の軍事産業に吸収されていくばかりだった。

　ここにまた別の怒りが生じる。突然、他国の軍隊がやってきて国土を荒らし、多くの人を犠牲にし、良いことをしてやっているのだから我慢しろと言い、そして金をばら撒《ま》いて権力者を腐敗させる。ふつうのムスリムの感覚では、このことに激しい怒りを覚えないことはありえない。アフガニスタンに起こした戦争は、タリバンを復活させ、さらには「イスラーム国」を生み出す原動力の一つとなった。

　アフガニスタンではタリバンが支配する、あるいは影響力を行使できる領域が再び拡大しつつある。激しい「テロ」は首都カブールでも起きているが、それに加えて、「イスラーム国」も各地で攻撃を強めている。二〇〇一年以来、日本ではすっかりアフガニスタンのことが忘られてしまったが、アメリカがタリバン政権を倒してから、一度も、この国に平和が訪れたことはなかった。

　二〇一〇年、アフガニスタンのハミド・カルザイ大統領(当時)が同志社大学を訪問して、学生と対話集会をもった。学生の一人が、アフガニスタンが安定しないのは、宗教に原因があるのか？　と尋ねた。カルザイ大統領の答えは、聞いていた私を驚かせるものだった。

「イスラームとは関係ない。アフガニスタンが平和になれないのは、欧米諸国がアフガニスタンに『国民国家』(ネイション・ステイト)の枠組みを押しつけるからだ」

アメリカの傀儡《かいらい》だと思われていたカルザイ大統領は、意外なことに、この国の統治がむずかしいのは、西欧的な国民国家システムを強制されたことだと見抜いていたのである。

双方は合意したが

その二年後の二〇一二年、同志社大学では、アフガニスタンの和解と平和構築のための会議を実現した。タリバンは初めて国外の国際会議に公式代表団をカタールから派遣し、アフガニスタン国内からは主要な反政府勢力とカルザイ政権の閣僚が参加した。

お互いに自分の立場を言い合う場ではあったが、政権側とタリバンまでが同じ席について平和のために何が必要かを訴えたのは、二〇一九年までは京都でのこの会議だけである。政権側から参加したのは高等和平評議会のスタネクザイ顧問大臣(当時)だった。会議の半年前、タリバンとの接触を試みた際に、タリバン側の使者が自爆し、ラッバーニ元大統領が即死、スタネクザイ氏も重傷を負った。会議のときも杖を使いながらの登壇だった。同僚を爆死させ、自分を負傷させた相手と同席したのである。

私は会議の主催者として、会議の最後に、何か一つでも合意するように求めた。それまで勝手なことを言い合っていた各勢力が、たった一つ合意したこと。それは、外国軍が撤退しない限りアフガニスタンに平和はないという点だった。当然すぎるほど、当然の合意であった。カルザイ大統領の政権自身も、アメリカ軍の撤退が和平の条件だと認めたのである。だが、二〇一四年に大統領に就任した後任のアシュラフ・ガニ大統領は駐留延長を決め、タリバンは攻撃を続けている。

二〇一九年からアメリカのトランプ政権は、アフガニスタン政府の頭越しにタリバンとの和平交渉に乗り出した。トランプ大統領は、中東やアフガニスタンからのアメリカ軍の撤退を政策の目玉として掲げていた。つぎ込んだ資金とアメリカ軍兵士の犠牲に比べて、イラク、アフガニスタン、ソマリア、シリアなどで展開した軍事作戦があまりに引き合わないと主張したのである。二〇年の二月末、停戦は合意に達した。タリバンはアフガニスタン政府によって収監されている兵士の解放と引き換えに攻撃を停止、アメリカ軍と外国の部隊は撤退するというのが合意の基本内容であった。しかしアフガニスタン政府は、すぐに収監されている兵士の解放には応じないため、タリバンもアフガニスタン政府に対する攻撃を繰り返し、和平が実現するかどうかは不透明な状況が続いている。

考えてみれば、同志社大学での合意を破ったのは政権側である。タリバンにしてみれば、約束が破られた以上、政権の正統性はないものとして攻撃を続けてきたことになる。わかっていながらアメリカ軍の駐留を望んだのは、その見返りとしてもたらされる莫大な援助資金があったからである。女性の教育や保健衛生まで、無数のプロジェクトを欧米系のＮＧＯが担ってきたが、ＮＧＯとはいえ、元の資金はアメリカ政府から出ていることは少なくない。その資金が親米派のアフガニスタンの組織や部族の手に渡り、蓄財の原資となってきたのだから、恩恵にあずかった人びとは、それを手放そうとしなかったのである。

二〇一九年一二月、アフガニスタンで長年にわたって医療や灌漑《かんがい》事業に従事してきた中村哲医師が殺害された。中村医師の献身的な事業については、よく知られている。私がここで引用しておきたいのは、彼のアフガニスタン社会への視点、アメリカをはじめとする欧米諸国がイスラーム社会であるアフガニスタンに何をしたか、その実態に関する指摘である。

今、現地では、「復興支援」を含めた「外国の干渉」に不信感と反感が深く根を張りつつある。米軍機が上空を通過するたびに、人々は屈辱感と怒りをつのらせてゆく。「爆弾の雨を降らせといて、『軍隊による人道支援』があるか」というのが、多くの現地民の思いである。その思いは軍だけではなく国連組織やＮＧＯにも向けられ、襲撃事件が相次いでいる。

（二〇〇四年五月三〇日『沖縄タイムズ』への寄稿。ペシャワール会のウェブサイトより）

現地住民が反発するのは、そもそも復興援助が軍事介入と不分離で、民意をくまぬ支援が外国人を満足させるアイデアで行われるからだ。「タリバン政権は問題もあったが、アメリカはもっと嫌だ。援助なら爆弾でなくまずパンをよこせ」というのが大方の本音だろう。一部の大都市住民を除けば、パン代わりに石が、魚の代わりに蛇が与えられたといっても過言ではない。

結局、米英などの外国軍の軍事的干渉は、ろくな結果を生まなかった。純粋に人々が生きるための支援なら、軍隊など要るはずがない。皆がこぞって守ってくれる。

（二〇〇三年一一月二三日『沖縄タイムズ』への寄稿。ペシャワール会のウェブサイトより）

欧米諸国にしても日本にしても、タリバンは人権、特に女性の人権を認めず、アフガニスタンの人びとの自由を奪った存在だから排除してもよいのだと信じ込まされてきた。だが、タリバンがアメリカで未曽有のテロ事件を起こしたのではない。タリバンは、テロの首謀者たちを匿ったのである。アメリカは女性の人権や自由という普遍的な権利を否定するから倒すべきだと主張したが、明らかに、目的をすり替えていた。だが、このすり替えは、ヨーロッパ諸国でもそのまま踏襲されていった。フランスをはじめ、多くの国が女性の被り物を規制する際に「ブルカ禁止法」と呼んだことを思い起こしてほしい。ブルカは、アフガニスタンのパシュトゥン人女性の被り物であり、女性の人権抑圧の象徴とされたからこそ「禁止すべきもの」とされたのである。

中村医師は自身の経験にもとづいて、イスラームの秩序のもとで暮らす人びとの平安を無視し、暴力でデモクラシーを植えつけようとした欧米諸国の態度を厳しく批判した。だがアメリカのアフガニスタン侵攻から二〇年が経とうとしている今も、世界は基本的に暴力による文化や信仰の否定をやめようとはしない。それに対して、ムスリムの側にも激しい反動が出てきた。

混乱に乗じて、「イスラーム国」までがアフガニスタンを侵食し始めた。タリバンはアフガニスタンで多数を占めるパシュトゥン人を中心とした組織であるから、地付きの組織である。しかし、「イスラーム国」は土地にこだわらない。世界中から兵士を集め、アフガニスタンの社会や地域性を考えることなく、イスラーム法の施行を迫る点で、タリバンよりさらに原理主義的である。アフガニスタンをこれ以上暴力の連鎖に巻き込むならば、さらに多数の難民をヨーロッパに向けて流出させることになるだろう。

「イスラーム国」を生んだアメリカの戦争

二〇〇三年にアメリカと同盟国が起こしたイラク戦争で、フセインの独裁政権は倒された。そして、この戦争の開戦の理由が虚偽だったことが後に明らかにされ、日本でも、このことは報じられた。アメリカとは酷いことをする国だという批判の反面、日本政府は開戦前に国際社会に無実を証明しなかったフセイン政権が悪いという、アメリカを擁護する主張を繰り返した。自衛隊を派遣した手前、そういう説明となったのである。

それよりも、イラク戦争とその後の混乱が、いかに甚大な犠牲を払ったかに注目しなければならない。戦争当時（二〇〇三年）、その後の混乱（二〇〇五―〇七年）、そして「イスラーム国」が登場した二〇一四年から一五年にかけて、膨大な数の命が奪われた。イラク戦争とその後の混乱で、およそ四〇万人が犠牲になったとされるが、直接、戦争の犠牲となった人が一六万人、その後の混乱で二四万人に達したと『ワシントンポスト』紙は伝えている（二〇一八年三月二〇日）。

戦争での犠牲者の多くは、アメリカと同盟国による空爆の死者である。二〇一四年になると「イスラーム国」が登場し、イラク北部のモスルを占拠したほか、北部のクルド地域で猛威を振るった。その際の犠牲者も多いが、実は「イスラーム国」が殺害した人数よりも、アメリカ軍と有志連合軍による空爆によるもののほうが多いことを同紙は指摘している。

アメリカによって引き起こされたイラク戦争は、「イスラーム国」を創り出す原因の一つとなった。アメリカと同盟国がフセイン政権を倒したことで、もともと国民統合がきわめて脆弱だったイラクは分裂した。北部のクルド人はバルザーニやタラバーニという有力部族長のもとにあったが、アメリカに協力することで、独立への道筋をつけようとした。実際、イラク戦争後には、クルド地域政府の設立が認められ、大統領や議会だけでなく独自の軍も持つ一つの国家の体裁を整えている。

シーア派はイランに近いため、アメリカとの関係は友好的ではない。しかし、最大の人口をもつため、イラク戦争後の選挙ではシーア派勢力が権力の中枢を占めることになった。そして、もう一つのスンニー派だが、彼らはフセイン政権の基盤となっていたため、イラク戦争後に誕生したシーア派のマリキ政権によって権益を奪われた。不満を抱いたスンニー派の有力者たちは、「イスラーム国」誕生を後押ししたのである。宗教色などほとんどなかったフセイン政権の軍人や情報機関員たちも、イスラーム主義の暴力集団に参加するようになった。「イスラーム国」の冷酷な統治を支えた警察機構や軍事機構は、素人がつくったわけではなかったのである。

開戦の理由もでたらめだったし、戦後の分裂もわかりきっていた。イラク戦争を開始したブッシュ政権時代の中東再編のプランは、オバマ政権下で勢いを失った。トランプ政権になってからは、イスラエルに対する手厚い支援とサウジアラビアなど武器調達でアメリカの軍事産業に貢献する国を重視する政策に変わっていった。過去二〇年のあいだ、戦争によってムスリムの命を奪い続けたこと、家族の平安を奪い続けたことが、「イスラーム国」の戦士になろうとする若者を増やす結果となったことは確実である。

3　ヨーロッパと「イスラーム国」

なぜ「イスラーム国」の戦士となったか？

ヨーロッパにも三〇〇〇万人を超えるムスリムがいるのだから、中東やアジアと同様に、「イスラーム国」に参加してジハードをするのだという若者はいた。BBCによると西ヨーロッパから約六〇〇〇人、東ヨーロッパからは約七〇〇〇人に達したという（二〇一九年二月二〇日）。イギリスの新聞『ザ・テレグラフ』はフランスから一七〇〇人、イギリスから七六〇人、ドイツから七六〇人、ベルギーから四七〇人、そしてボスニア・ヘルツェゴビナ、スウェーデンなど広い範囲からシリアやイラクに渡ったと報じている(二〇一六年三月二四日)。チェチェンなどムスリムの多い地域を含むロシアや中東から参加した戦闘員と家族は、はるかに多い。チュニジア、サウジアラビア、トルコ、ヨルダン、モロッコなど中東地域からは約一万九〇〇〇人が参加したとBBC(前出)は伝えている。

「イスラーム国」問題で注目を浴びたのは、中東やアジア出身の若者ではなく、欧米諸国出身の若者たちであった。注目された理由は二つある。

一つは、西欧という自由と啓蒙の大地から、なぜ過激なイスラーム組織に参加する若者がでてきたのかという点。もう一つは、彼らが戻ってきたときに、母国でテロを起こすのではないかという懸念であった。

彼らは移民の若者だが、何代目の世代にあたるかはまちまちである。また、彼らが「イスラーム国」の最も重要な柱であるイスラーム思想や法学をどこまで理解していたかは疑問である。多くのヨーロッパ側の資料によれば、置かれている境遇への不満、何かやってやろうという浅薄《せんぱく》な動機でシリアやイラクに渡航しようとした若いムスリムが多かったのは間違いない。彼らがインターネットを通じて「イスラーム国」に引き寄せられたというのはそのとおりだと思う。実際、「イスラーム国」と名乗っているもの、いないものを含めて、ジハードの戦闘に駆り立てるような内容のサイトは一時数万に及んだといわれ、治安当局によって消されても別のサイトがつくられてしまうので規制するのは困難であった。

ムスリムとしての再覚醒

ヨーロッパ各国は、なぜ「イスラーム国」に吸い寄せられたのかを真剣に考え、対策を打ち出そうとしたが、それはほとんど見当はずれのものだった。彼らはヨーロッパのどの国にいてもそうだが、最初からイスラームの教えのなかで育ったわけではない。彼らの周囲はヨーロッパの社会であり、そこで教育を受けた。たとえ孤立した移民社会のなかで生活していたとしても、ヨーロッパ社会の影響を遮断することなどできない。むしろ、ヨーロッパ社会の諸価値にさらされているなかで、自覚的に、それとは違う道を求めたのである。

そのきっかけが、ムスリムに対する差別や経済的に上昇することのむずかしさだったことは十分ありうることだ。しかしたとえ裕福な家庭で育ったとしても、ヨーロッパに背を向ける可能性ならいくらでもある。

重要なきっかけとなったのは、中東、アフリカ、アジアの至るところで日々ムスリムが命を奪われ、生きる権利も平安に暮らす権利も奪われているという事実である。そのことはマスメディアによっても伝えられていたが、新聞やテレビなどみなかったとしても、インターネットを通じて、SNSを通じて、いくらでも子どもたちの悲惨な状況を知ることはできた。

ヨーロッパに暮らす一〇代の彼らが、中東にいる「彼ら」の状況に対して、「自分」が何かの行動を起こさなければいけないと感じたとしても何の不思議もない。それまで、イスラームの信仰実践などまったくしていなくても、あるいはイスラームに何の関心もなかったとしても、一瞬にして「正しい道」に入ることが可能なのである。キリスト教徒の家庭に生まれたり、無神論者の家族とともに暮らしていたりした若者にも、そのきっかけはあっただろうが、彼らには積極的に「改宗」、もしくは「入信」するというハードルがあった。

だがムスリムの家系に育った若者は、どこかでイスラーム的なもの、ムスリム的な生き方に触れている。どんなに世俗化した家族であっても、親戚のなかには礼拝を欠かさない者もいるし、親がラマダン月の断食をしなくても、誰か断食を守る人もいるのがふつうである。何もしなくても、ムスリムにとって大切な断食明けの祭りや犠牲祭に親戚を訪ね、着飾って晴れがましい思いをした人ならいくらでもいる。

イスラームは、欧米や日本では、何かをしなければいけない、何かをしてはいけない宗教ととらえられていることが多いが、本質がそこにあるわけではない(松山洋平『イスラーム思想を読みとく』ちくま新書、二〇一七年)。ヨーロッパ育ちのムスリムの若者にとっても、事情はよく似ていた。彼らはイスラームという宗教を思想的な面から学んだわけではない。慣習として親や親戚がしていた行為を知っていただけなのだが、当然、その行為が、どんな意味をもっているのかを幼いときから聞かされていた。

「なぜ、断食をするのか？」、「犠牲祭にはなぜ肉を配るのか？」、「なぜ女性は髪や頭部を覆うのか？」。その一つ一つに、弱者への思いやりや、富の公正な分配についてのイスラームの考え方が含まれているのだが、気にも留めていないことが多い。それが、何かの拍子によみがえるのである。ヨーロッパでの自分自身の生活にふりかかる差別がきっかけになるかもしれないし、血まみれになり逃げまどうシリアやイエメンの子どもたちの姿を目にしたことがきっかけになるかもしれない。一様でないことは確かだが、過激で邪悪なイスラームの説教師や煽動家に洗脳されたに違いないという欧米社会の説明は、きわめて皮相なものであった。ヨーロッパ各国が、安全と認めた穏健なイスラーム組織を利用して、過激化を防ごうとしても役に立たなかったのは、若者たちの内面に対する理解が欠けていたからなのである。

再覚醒にいたるプロセス

ムスリムとの共生が破綻といってよいほど困難になる前の事情については、前著『ヨーロッパとイスラーム』に書いたので、ここでは簡単に触れるにとどめる。ヨーロッパ社会においてイスラームが共生の争点になったのは、冷戦後のことである。それ以前は、外国人労働者、あるいは移民労働者の存在が、その国の労働市場を圧迫するとして非難されるか、あるいはその国の社会保障で食べているという非難を受けるかのいずれかであった。

外国から労働者を受け入れたすべての国でそうだったが、彼らは景気の調節弁のような役割を担わされた。景気がよいときには、労働力が不足する厳しい労働条件の職場を埋めてくれることを期待されたが、景気が後退するやいなや、この二つの非難を受けたのである。

そして、彼らが一時的滞在者ではなく、受け入れ国の社会の一員として永住する傾向がはっきりしたことで、問題の焦点が、より文化的、社会的な面に移ることになった。そのきっかけは、一九七三年の第一次石油危機だった。第四次中東戦争に際して、アラブの産油国が、イスラエルを支持する国に対する石油の禁輸措置を発動すると宣言したことにより、ドイツ、イギリス、フランスなどヨーロッパの先進国でいっせいに景気後退が始まった。そのため、外国人労働者の募集を止めたのである。だが、それまで合法的に働いてきた労働者の家族がその後、移住して、家族の再統合を果たすことは基本的人権として認められていた(1章)。そのために、家族が殺到した。家族が移住したことにより、働き手だけでなく、その家族も一緒にヨーロッパ社会に暮らすことになり「移民社会」が形成されたのである。

第二次大戦後、冷戦の時代に西ヨーロッパ諸国に働きに来ていたのは、旧イギリス領インド(インド、パキスタン、バングラデシュなど)からイギリスへの移民、旧フランス領北アフリカ(アルジェリア、チュニジア、モロッコ)および西アフリカ(セネガル、マリなど)からフランスへの移民、そして、植民地をもたなかったために二国間の雇用協定ベースでドイツに渡ったトルコ人などである。いずれもムスリムの多い地域である。なかでもトルコ出身者(民族的にはトルコ系の人とクルド系の人がいる)は、ドイツだけでなく、オランダ、オーストリア、スウェーデンなどでも主要な外国人労働者の地位を占めていたが、石油危機以降に家族も移住したため、ヨーロッパで最大のムスリム移民社会を形成するようになった。

移民側の変化

そこには移民側の変化も見落とせない。最初に来た第一世代は、総じて、彼らの信仰実践には熱心ではなかった。信心深い人もいたが、それは、往々にして彼らの郷里での習慣や因習とごっちゃになったイスラーム信仰だった。

ところが、一九八〇年代から移民のあいだにも、イスラームの復興、あるいはムスリムとしての再覚醒という現象が起き始めたのである。八〇年代のイスラーム復興は、先に中東・イスラーム世界の側で起きた。それまで政治の表舞台には「民族」を出してきたのだが、それが必ずしもうまくいかなくなっていた。パレスチナ問題はその典型で、「アラブ民族の連帯」「アラブの大義」というようなことが盛んにいわれたのは七〇年代までだったが、第三次中東戦争(一九六七年)でアラブ諸国側が大敗を喫し、第四次中東戦争(一九七三年)では石油を武器にしてアラブ産油国が世界経済を揺さぶったものの、結果的に、産油国の足並みは乱れ、資源を武器にすることへの批判も高まった。いくつかの先進国は、アラブ諸国に依存するよりも原子力の利用を選んだ。

一九七九年にはイランで親米派の王政が打倒され、ホメイニ師によるイスラーム体制が樹立された。八一年には、エジプトのサダト大統領がイスラーム急進派の将校によって暗殺されている。中東・イスラーム圏の各地で、イスラームを政治に反映させるべきだという声が高まっていたのである。

一九九〇年八月にフセイン大統領のイラクが突然クウェートを侵略した。九一年一月にはアメリカ軍と有志連合軍がイラクに対して湾岸戦争を起こし、クウェートを奪回した。その後、湾岸諸国は安全保障に関してアメリカへの依存を強めた。このような状況では、もはや「アラブ」という民族を掲げてパレスチナとの連帯を唱える国などほとんどない。

イスラームの復興というのは、こういう大きな流れのなかで民衆のあいだに湧き起こったもので、それがヨーロッパのムスリムのあいだにも広がった。

さらに、ヨーロッパのムスリムには固有の理由がある。ドイツにいるトルコ人が、民族の誇りを語っても、ドイツ人は誰も相手にしてくれなかった。貧しい国から働きに来てくれた労働者とは思っても、彼らの出身国や民族には何の関心もなかったのである。イギリス社会にとっても移民は、旧植民地の貧しい国からやってきた労働者にすぎなかった。宗主国としては、かつての植民地も独立できるまでに成長したのだから、彼らに恩典を与えるような気分でイギリスでの就労を認めたにすぎない。

フランスへのアフリカ大陸からの移民は、さらにねじれた関係にあった。アルジェリア人にせよ、チュニジア人にせよ、「ベルベル」「アラブ」「トクアレグ」などの「民族」を主張しようにも、フランスは「民族」を単位として受け入れる原理も制度ももっていなかった。すべて、人種や民族を問わず、「個人」としてフランス社会に参画することでフランス市民になるという建て前だから、移民労働者が「民族」で団結することを許さなかったのである。しかも悪いことに、フランス共和国の掲げる「自由、平等、博愛（同胞愛）」は、移民にとって絵に描いた餅にすぎず、自由ではあったかもしれないが、平等に処遇された実感も、愛された実感も抱けないのが現実であった。

ヨーロッパで生まれ育ったムスリム

こういうなかで、自分は何者として生きるのかという問いに深刻に向き合わざるをえなかったのは、最初に渡った世代よりも、ヨーロッパで生まれ育った世代の人たちだった。ドイツは、第二世代が大人になるころまで、延々と「ドイツは移民国ではない」と繰り返し、彼らを一時的滞在の労働者、すなわちガストアルバイターと呼んでいた。ドイツに外国人労働者が移住したのは、だいたい一九六〇年代初めのことだったが、それから四〇年、ドイツは態度を変えなかった。

イギリスでは、移民がコミュニティをつくって、そのなかで暮らす権利を認めていたが、それは、より上の階級の人間から見えないところで何をしていようとかまわないという態度の裏返しだった。フランスには、民族ごとに差別などしないという建て前がある。その結果、経済的に貧しいという理由で移民たちは大都市郊外の低所得層向けの住宅街に集中した。それでもフランス政府は、彼らをアルジェリア人だから、アラブ系だから差別したわけではないと主張し続けた。

ヨーロッパ各国で、若い人たちのあいだには、信仰以外に、依るべきものは残っていなかった。こうしてイスラームへの回帰、ムスリムとしての再覚醒が進んだのである。しかも信仰は民族と違って、相手に対して胸を張ってみせるものではなく、自分の心に癒しと平安をもたらすものだった。イスラームという宗教には、信徒に悔悟《かいご》を迫るよりも、「それでいいんだよ」と人間の弱さを認める性格が強い。欧米世界の人も、日本の人も多くが誤解しているが、『クルアーン』には、アッラーは無理なことを求めない、アッラーはできるだけ楽なことを求めるという記述が頻繁にでてくる。それでいて、弱い立場の人間にやさしくしてやれ、来世で楽園(天国)に召されることを楽しみにして生きるように教えるのである。

何をしなければいけないか、何をしてはならないかの規定はあるが、それを守るも守らないも信徒次第であって、悪いことをしたら、善行で埋め合わせればよい。規定がなければ、しようがしまいがどちらでもいい。さらに、聖職者を名乗る人間の前で告解したら赦してもらえるというような構造はないのであって、信徒は、個人として神と向き合うだけである。

イスラーム法学者の中田考が述べているように、ムスリムはアッラーによって存在を承認されているために、現世の人間社会で他人への承認欲求をもつ理由がない(中田考『みんなちがって、みんなダメ』KKベストセラーズ、二〇一八年)。このことは、日常生活でさまざまな困難を抱えるムスリム移民にとって大きな意味をもっている。

実際、私がヨーロッパ各地のモスクに集う若者たちに聞いた限りでも、ムスリムとして生きると決めた瞬間、就職での差別や、経済的上昇のために汲々《きゅうきゅう》としてきたことなど、どうでもよくなった、と異口同音に答えていた。ただし、どうでもよくなったとはいえ、彼らの日常生活での悩みが解消されたわけではない。信仰の道を進むことで一定の充足感を得たとしても、その先に何か突破口を見いだそうとした人たちの、ごく一部が、暴力的なジハードこそ自分たちの生きる道だと思い込んだ可能性は否定できない。

寛容の終焉

ヨーロッパ各国は「イスラーム国」に渡った若者が出たことと、直接、テロに見舞われたことに大きな衝撃を受けた。当然、各国の政権は、弁明を強いられた。そこで用いられたレトリックは、「移民の社会統合の失敗」、「多文化主義の失敗」、そして「寛容の終焉」だった。

ヨーロッパ諸国で、最初にイスラーム急進勢力によるテロに見舞われたのはスペインだった。二〇〇四年三月一一日にスペインの首都マドリードで、鉄道を狙った大規模なテロ事件が発生し、死者は一九一人に達した。「イスラーム過激派」が関与したことが疑われたヨーロッパで最初の大規模なテロである。同時にいくつかの列車をマドリードのアトーチャ駅で狙ったところから、イスラーム過激派が用意周到な犯行に及んだという点で、アルカーイダによる9・11同時多発テロとの類似性を印象づけることになった。ただし、スペインは即座に移民政策を転換することもなく、イスラーム嫌悪が湧き起こることもなかった。

転換点としてのロンドン同時多発テロ事件

象徴的なのは、次に大規模なテロが起きたイギリスだった。二〇〇五年七月七日、ロンドンで鉄道やバスを狙った同時多発テロ事件が発生し、五六人が犠牲となった。パキスタン系、イエメン系などの移民が容疑者とされた。イギリスがイラク戦争に参戦したことが、テロの原因ではないかという主張は少なくなかった。そして、この事件は、その後のヨーロッパとイスラームとの関係を緊張から対立へと向かわせる転機となった。

イギリスは、多文化主義を制度的に保障してきた国である。宗教と民族（出身地域）ごとの集団がコミュニティを維持したままイギリスで生活することに何の異論もなく、むしろ、それは奨励されてきたところにイギリスの特色があった。

別の言い方をすれば、明らかにイギリスは「異文化」に寛容であったし、今でも、他の大陸ヨーロッパ諸国と比べると、異質な文化的背景をもつ人びとを疎外することは少ない。

二〇〇五年八月、当時のブレア首相は「ゲームのルールが変わりつつあることについて、誰しも疑いをもつことのないように」と発言した。そして、イスラーム解放党（ヒズブ・タフリール）などに対し、憎悪を煽《あお》っているとして危険団体に指定する意向を示した。七月七日のテロにイスラーム解放党が直接どのように関与したかは必ずしも明らかではなかったが、系列のモスクでイラク戦争やイギリスやアメリカの中東・イスラーム政策を激しく批判し、ジハードを呼びかけていたことが理由とされたのである。

この発言は、テロ対策の失敗を国内から追及されていた当時のブレア政権としては当然のものだったが、「ゲームのルールが変わりつつある」というのは、異文化に対して寛容な政策を変更するということである。イギリスの政策は、その後監視カメラ（CCTV）の増加や、イスラーム組織の監視に重点を置いていく。だが法律でムスリム女性の服装を規制するような、象徴的なムスリム差別に傾斜することはなかった。イギリスでも目の部分だけを出す、もしくは目の部分も外からはみえない布で隠すタイプの被り物について、「遮断されてしまって対話ができない」からやめるべきだという意見はある。しかし、それはあくまで「相手が誰だかわからないのでは対話にならない」という現実的な批判であって、1章で述べたフランスでの批判とは違う。

ヨーロッパ諸国の変化

ドイツでは二〇〇〇年代最初の一〇年、大きなテロは起きていなかったのだが、二〇一〇年一〇月にメルケル首相が「ドイツの多文化的状況は完全に機能していないし、失敗だった」(『ガーディアン』二〇一〇年一〇月一七日)と発言して大きな波紋を呼んだ。

ドイツは長年にわたって、頑《かたくな》に血統主義にもとづく国籍制度を維持してきた。現在は部分的に出生地主義に変更したが、移民を受け入れてから半世紀近くを経た後のことである。ガストアルバイターと呼び続けたのも、ドイツ民族の血統に属さないあなた方は永続的な社会の一員ではない、国民にはなれないことを明示するものであった。

さらに宗教からみると、ドイツはキリスト教国といってよいほど世俗主義が弱い。公教育の場で、親の意思によってキリスト教の宗教教育を受けさせることは権利として認められている。

もちろん現代では、宗教の影響を受けさせたくない親もいるから、その場合は宗教教育を受けさせなくていい。

しかし五〇〇万人にも及ぶドイツのムスリムは、子どもに学校でイスラーム教育を受けさせる権利はない。当然といえば当然だが、キリスト教の特権的地位が基本法（憲法）で定められている以上、もし新たにドイツ社会に参入したムスリムに同じ権利を保障するなら基本法を改正しなければならないのである。ドイツでは、国民だけが政治参加の権利、参政権をもっているので、この改正は不可能といってよい。

ドイツは多文化主義を制度として採用したことはない。メルケル首相がわざわざ、多文化的状況は失敗だった、と言ったのは、ムスリムの移民や難民の社会統合に失敗したという反省を込めたアピールだった。首相の立場は明確で、一方でドイツは移民を必要としているとして排外主義を拒否し、他方で移民はドイツ社会に統合されるべきだというのである。

フランスもドイツとは違った意味で、多文化主義をとったことがない。ある民族や宗教を単位とするコミュニティの形成を認めなかったからである。

フランスでは、コミュニティごとにわかれて国家に参画するという考え方に強く否定的である。人種でも民族でもなく、個人としてフランス共和国の一員となるなら受け入れるというのが基本的なスタンスであるため、そもそも多文化主義が根づく素地はない。宗教については、公的領域の非宗教性が国家原則である以上、原則上は特定の宗教が特権的地位を認められることはない。個人が、公の場で宗教的なシンボルを身に着けることさえ法で禁じているので、そもそも宗教に関する多文化主義が成立する余地もない。カトリック教会と政治との関係が、必ずしもこの原則どおりに動いてはいないことについて、伊達聖伸『ライシテから読む現代フランス』(岩波新書)に詳しい。

したがって、すでにフランス国籍をもつ移民出身の若者がテロを起こしても、「イスラーム国」への参加者が出ても、それが多文化主義の失敗ということにはならなかった。むしろ、フランス共和国の国家原則たる世俗主義(ライシテ)を、なぜもっと移民たちに叩き込まなかったのかを「反省」したのである。しかし、これは移民の側からみれば、きわめて強い文化同化主義であることはいうまでもない。

5章　なぜ共生できないのか

1　ヨーロッパ諸国の政治的な変動

すでに書いたように、二〇一五年の難民危機でヨーロッパに殺到したシリア、イラク、アフガニスタンからの難民の多くはムスリムであった。

そして彼らは、もはやヨーロッパ全域で疎ましい存在とされている。反イスラームといえば、トランプ大統領が二〇一七年に次々と出したムスリム諸国からの入国禁止措置にかかわる大統領令が注目を集めた。だが、反イスラームによる移民・難民に対する抑圧や差別は、ヨーロッパにおいてははるかに激しい。

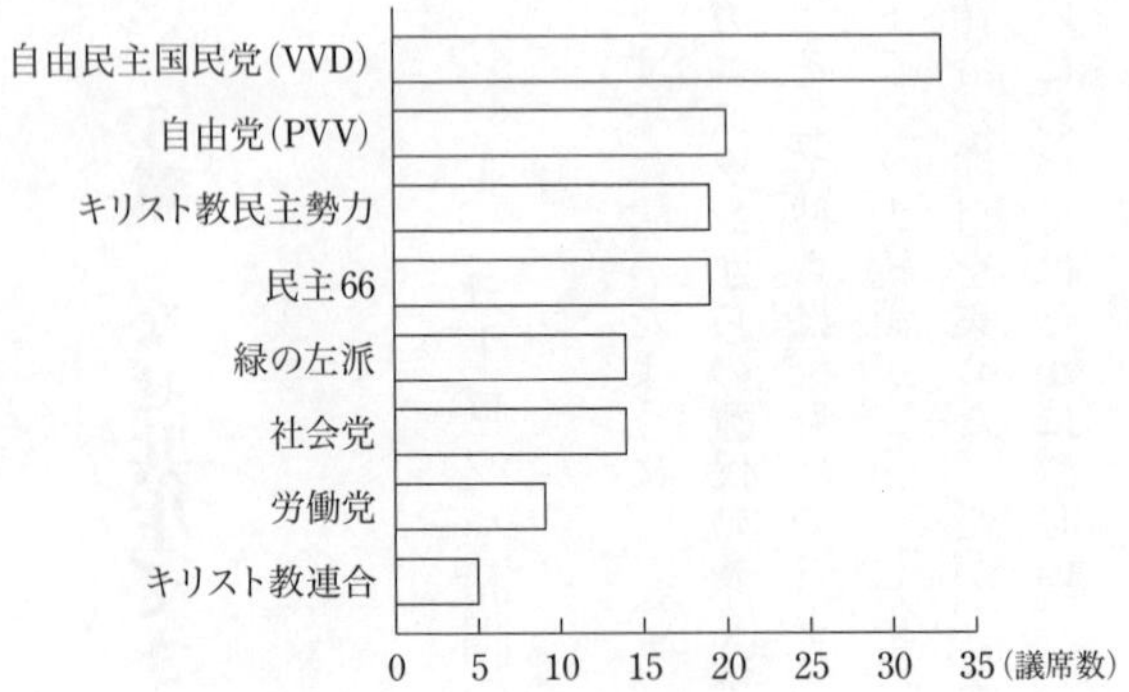

出典：BBCの発表をもとに筆者作成.

図5-1　2017年オランダ総選挙の結果

オランダの「排外主義」の背景

オランダの総選挙は二〇一七年三月一五日に実施された。結果は与党のリベラル政党、自由民主国民党（VVD）が一位を維持したものの議席を減らし、第二位には注目を集めていた排外主義者ヘルト・ウィルダースが率いる自由党（PVV）がつけた（図5-1参照）。

注目すべきは、中道左派の労働党が議席を減らしたことである。結局、与党には第一党を維持したVVD、キリスト教民主勢力、リベラルの民主66、キリスト教連合が加わり、大幅に議席を減らした労働党や議席を増やした緑の左派、そして第二党に躍進したPVVは野党となった。ほかの西ヨーロッパ諸国と共通しているのは、伝統的な社会民主主義勢力（オランダでは労働党）の衰退と排外主義勢力（PVV）の台頭、そして急進的な左派（緑の左派）の伸長である。

他のヨーロッパ諸国と比べると、「リベラル」勢力の強いことが特徴なのだが、リベラルの意味合いが日本やアメリカとは異なることに注意が必要である。

一方、世界は、排外主義者ウィルダースに注目した。彼が率いるPVVは、反移民、反難民、反イスラーム、反EU、トルコのEU加盟に絶対反対、ジェンダー平等、LGBTの権利擁護を掲げる。日本のメディアを含めて世界は、ウィルダースを「極右」と呼んでおり、彼の政党が第一党に躍進しなかったことでほっと胸をなでおろすかのような報道は内外問わずみられた。だが、これは二重の意味でヨーロッパの政治動向を見誤る結果を招いた。おそらく、排外主義の部分を取り出してウィルダースのPVVに「極右」というレッテルを貼ったのだろう。しかし、オランダに極右というものが存在するなら、その手前に「右派」がいなくてはならない。だが、長いこと、この国で保守勢力とされてきたのはキリスト教民主勢力である。それより「右」の勢力が「極右」だとするなら、それは「キリスト教原理主義政党」でないと話のつじつまが合わない。

しかし、そんな政党はない。オランダには、オランダ民族の原点を探そうとするような空想的民族主義もない。歴史的に七つの海を渡って交易で国を繁栄させてきたオランダでは、じっと一カ所にとどまって自分たちのルーツを探し求めるような話は、そもそも流行らない。

つまり、オランダにおいて「極右」なるものを想定することは意味がないのである。もう一つの誤認は、既存のリベラル政党であるＶＶＤの主張が、ウィルダースに接近していたのを見落とした点である。つまり「極右の台頭を抑えられてよかった」のではなく、既存のリベラルが「極右」に擦り寄っていたのである。

ウィルダースは暴走したリベラルである。彼の出身政党はＶＶＤで、現在のルッテ首相もこの政党である。この点が日本人には不可解な点で、リベラルが差別主義者であるはずがないだろうということになる。だが注意しなければいけないのは、オランダに限らず、ヨーロッパ社会において、現在、最も激しく移民・難民、とりわけ彼らがムスリムである場合に激しい憎悪をぶつけ、差別を繰り返しているのは、「リベラル」とその暴走した形態のポピュリストなのである。

オランダのリベラルは価値の押しつけを嫌う。イデオロギーにせよ、宗教にせよ、押しつけがましいものを排除しようとする。そういうものを排除できる個人こそ、社会の基盤であり、オランダという国家の構成員なのである。したがって、キリスト教もイスラームも押しつけがましい規範性をもつ宗教だから、自分の身の回りから排除することは権利であり、それがリベラルのリベラルたる所以《ゆえん》だということになる。このリベラルの感覚は、なにもオランダ独自のものではなく、権力による束縛からの自由という古典的なリベラリズムに源流をもつ。

逆にジェンダーについては平等を主張するし、LGBTについては何の差別意識ももたない。マリファナに対しても規制は緩いし、他の麻薬に対しても自己責任で使用させることさえある。安楽死についても容認の方向を示してきた国である。こういうことがヨーロッパ社会における「リベラル」の下地なのである。日本やアメリカでの「リベラル」とは意味が異なっていることに気づかないと、人権の先進地域であったはずのヨーロッパで、なぜ極端な排外主義が表出しているのかを理解できない。

ムスリム移民への差別

現在、彼らが最も激しく嫌悪するのは、二〇世紀後半から移民労働者とともに入り込んできたイスラームである。この敵意は9・11同時多発テロ前には顕在化していなかった。

一九九〇年代が終わるまで、隣国のドイツと違ってオランダではレイシズムは表面化していなかった。私自身、彼らに「オランダでムスリム移民に対する差別はあるか?」と尋ねて歩いたが、誰もが否定していた。当時のオランダでは、ムスリムも含めて移民をどのように社会に統合していくのかが最大の課題だった。

オランダでも最初は、第二次大戦後に「外国人労働者」を受け入れたのが始まりだった。そして、積極的に彼らを社会の構成メンバーとして認める政策をとってきた。当初、「外国人政策」という名前で呼ばれていたものを「マイノリティ政策」へ、そしてさらに「移民統合政策」に変更して、具体的に統合を推進する流れが一九九〇年代末にはできていたのである。八五年には外国人にも地方参政権を認めている。これは、移民の社会統合にとって重要な政策だった。有権者となった移民を取り込む必要がでてくるので、主だった政党は、トルコやモロッコ出身の候補者を擁立したし、移民向けの政策も掲げたのである。

同時に、オランダは移民たちの文化をオランダに同化させようとはしなかった。特に宗教文化は尊重され、イスラームも一つの宗教文化の「柱」として承認された。キリスト教のカトリック、プロテスタント、それに無神論者も各々一つの文化的な「柱」をもつことができたのと同じように、二〇世紀後半からオランダ社会に参加したムスリム移民にも同じ権利を保障したのである。ムスリム向けの放送局、ムスリムのための学校(公立)、ムスリム向けの高齢者施設などもつくられ、モスクに文化・教育施設を併設することも認められた。これらに対しては、基本的に国家予算による補助がなされた。多文化主義というのは、こういう政策を実現することで制度化される。言葉では多文化主義を尊重するかにみせて、具体的な施策を伴わなかったドイツやフランスとは大きく異なる。

この多文化主義政策のおかげで、ムスリム移民たちの信仰実践にはさほどの制約は課されなかった。被り物も自由であったし、被り物や顎鬚《あごひげ》を理由に差別を受けることもないといってよいほど少なかった。その反面、ムスリムはオランダ文化の自由を拒絶することもできた。売春が公認されていること、同性であれ異性であれ恋愛や性交渉が自由であること、麻薬についても規制が緩やかなこと。これらの自由に対して、ムスリムは教えに背くものとして背を向けた。別にこれらを非難したわけではないが、イマームと呼ばれるイスラーム指導者たちも、信徒に対してこれらの「悪習」に染まらないように訴えていた。

しかし、9・11はオランダの多文化主義を一変させた。二〇〇一年一二月に調査したとき、移民労働者の支援にあたってきたNGO組織が口をそろえて、いったいどうしてこんなことになったのか、さっぱりわからないとひどく動揺していた。九月からの三カ月ほどのあいだに、イスラーム小学校、モスク、ムスリム個人への嫌がらせから暴行まで、急増したのである。それは、いままで移民の文化にたいした関心を払わず、「私は私、あなたはあなた」を続けてきたオランダ社会に突然、断層が生まれたことを意味している。

当時、移民出自ではないオランダ人にもずいぶん尋ねてみたが、9・11のテロによって、オランダ人は自分たちの身近なところにいる移民たちが、突然テロリストに見え始めたのだという。いわば、「移民」を発見し、「彼らがムスリムである」ことを発見し、「彼らはテロリストだった」と思い込んだのである。マジョリティがある種のマイノリティを「発見」するとき、その存在を認めて一緒にやっていくというプロセスにつながることはほとんどない。最初に出てくる反応は、存在すべきではない人間を発見してしまったという驚きであり、恐怖である。そして、それが排斥感情に傾斜するのに時間はかからない。

二〇〇一年以後、オランダでは一気に排外主義が高まった。そしてその担い手は、自分こそリベラルで、他者に干渉されない自由を最高度に求めるピム・フォルタウィンやウィルダースたちだったのである。フォルタウィンは二〇〇二年の選挙で頭角を現し、自分の名前をつけた政党を立ち上げたが、すぐに殺されてしまい、政党は力を失った。その後を継ぐのがウィルダースで、彼は〇六年にPVVを結成した。

テオ・ファン・ゴッホ事件がもたらしたもの

そのころ、オランダでは寛容の終焉を象徴する一連の事件が起きた。二〇〇四年に、映画監督のテオ・ファン・ゴッホがモロッコ系移民の青年に暗殺された。原因はイスラームを侮辱したとされる"Submission"(服従)という映画だった。裸体の上に薄布をまとったムスリムの女性が男性からの暴力を訴えるこの作品は、西欧世界では高い評価を受けたが、ムスリム社会からは激しい反発を受けた。ストーリーは、ありうるものだったが、裸身を見せながら礼拝するシーンなどの表現はムスリムにはありえないものだった。

この作品は、アヤーン・ヒルシ・アリというソマリア出身の政治家が脚本を提供し、テオ・ファン・ゴッホが監督した。ヒルシ・アリは、この事件をきっかけに反イスラームの政治家として有名になるが、彼女もリベラルのVVDの国会議員であった。ソマリア人として少女時代に悲惨な体験を重ねたことを自伝に書き、脚本はそれをもとにしていた。ヒルシ・アリは9・11以降の欧米諸国における反イスラームの先鋭的なシンボルとなった。

ところが、後にオランダの放送局が彼女の体験談に嘘があったことを暴くテレビ番組を放送し、同じ政党の移民担当大臣がヒルシ・アリの議員資格を剝奪《はくだつ》したうえ、難民としての定住許可も取り消した。後味の悪いスキャンダルだった。ちょうどそのころはブッシュ政権によるイラク戦争の後で、彼女はアメリカの保守的なシンクタンクに移り、反イスラーム宣伝を続けたが、アメリカの政権がオバマに変わると注目されなくなった。

オランダでは、その後、反イスラームの状況は恐るべきほどに一枚岩化していった。

二〇一七年の総選挙でリベラル政党のルッテ首相が異性との握手を拒むムスリムにはオランダに居場所がないと主張したことも、イスラームを反リベラルと決めつけてムスリムの排斥を助長するものであった。もちろん、より激しく反移民を主張するポピュリストのウィルダースのPVVから票を取り戻すための発言だったが、結果として、リベラル政党であるVVDが、排外主義のポピュリズムに接近し、手を貸すことになった。

2 ドイツ　さまざまな立場からのイスラームへの対応

ドイツにおけるAfDの台頭

一方、同じ二〇一七年には、ドイツでも連邦議会(日本の衆議院にあたる)選挙がおこなわれた。選挙結果での最大の注目点は、ドイツのための選択肢(AfD)が連邦議会に九四議席をもったことである(図5-2参照)。

メルケル首相のキリスト教民主/社会同盟(CDU/CSU)はかろうじて第一党の座を守ったが六五議席を失い、伝統的左派の社会民主党(SPD)も四〇議席減と大幅に議席を減らした。これに対して議席を増やしたのは同盟90/緑の党(以下、緑の党)、自由民主党、そしてAfD

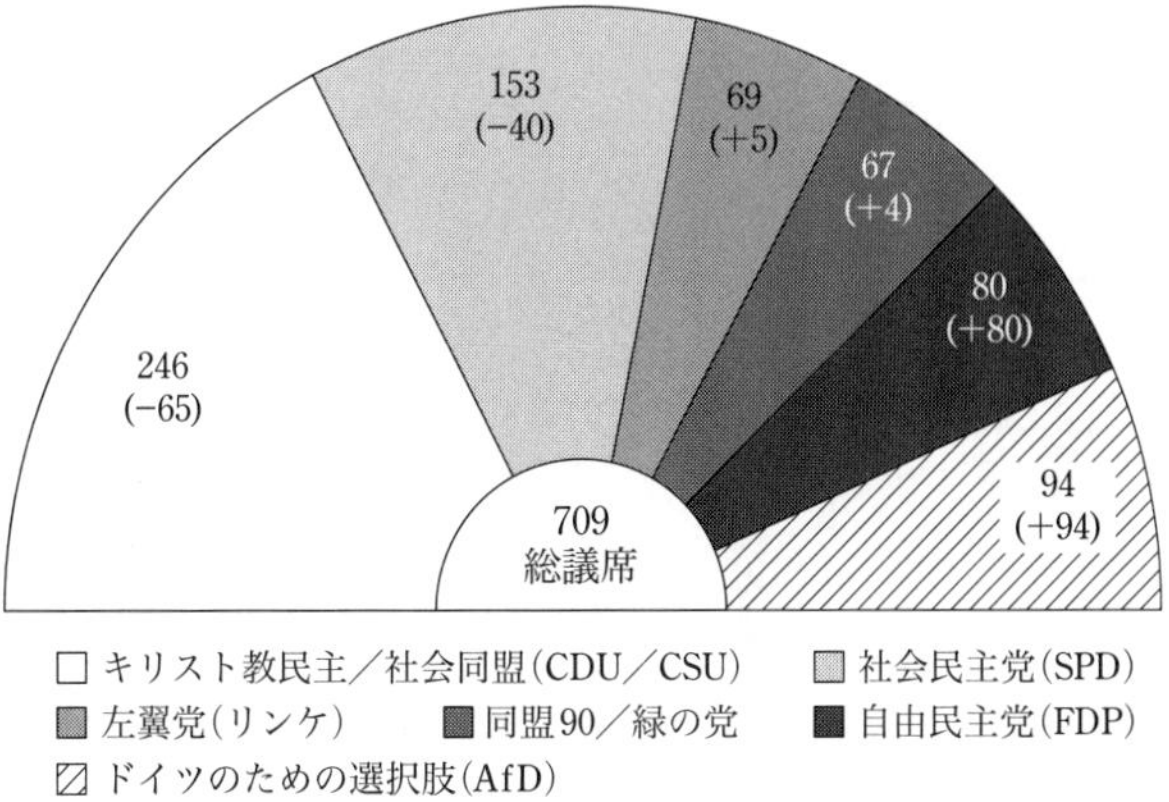

出典：German Federal Returning Officer, BBC 作成.

図 5–2　2017 年ドイツ連邦議会選挙の結果

だった。

二〇一七年の選挙に際してＡｆＤが使ったポスターキャンペーンのいくつかを紹介する。「イスラームはドイツに属していない」、「ブルカ？　我々はビキニだ」、「イスラーム・フリー（イスラームのない）の学校」となっており、いずれも明確にムスリムを排斥する主張を表している。

ドイツの選挙について忘れてはならないのは、政党の形をとらずに排外主義を組織化した市民団体ＰＥＧＩＤＡの存在である。二〇一四年に、かつての東ドイツのドレスデンに誕生したこの組織のフルネームは「ヨーロッパのイスラーム化に反対する愛国的ヨーロッパ市民」(Patriotische Europäer gegen die Islamisierung des Abendlandes)で、ヨーロッパにおけるイスラームに否定的な姿勢を明示している。もちろん、ヨーロッパがイスラーム化するというのは妄想にすぎない。ムスリムが増えているのは事実だが、彼らはヨーロッパをイスラーム化することなど考えてもいない。

もし、ヨーロッパに背を向けて孤立の道を進もうとするムスリムを減らしたいのであれば、ヨーロッパ社会がムスリムに対する無用な圧力と差別をやめることが先決である。アフガニスタン、シリア、イエメン、リビアで世界から見放され、孤立し、人道危機に陥ったまま何年も放置されているムスリムの惨状を変えなければならない。少なくとも、これらの状況に関して、ヨーロッパ、特にEUを構成する諸国が関与してきたことは明らかであり、ムスリムから敵意を向けられるだけの十分な理由があることは否定できない。

ドイツは、なぜ排外主義を容認するようになったか？

一九九〇年末まで、ドイツでは「ドイツは移民国か、否か」をめぐる論争が続いていたが、すでに人口の一〇％近くが移民によって構成されていた当時の現実からは程遠い議論であった。そのためドイツ政府は、この姿勢を二〇〇〇年代に入って少しずつ変更した。

保守のCDUも左派のSPDや緑の党も、ドイツが移民国であるという前提に立って、二〇〇〇年には国籍法を変えた。外国出身者の子については二三歳までドイツ国民と扱うことにし、二三歳満了の時点で原国籍かドイツ国籍かを選択させるようにしたのである。さらに二〇一四年には再び国籍法を変えて、二重国籍も承認するという方向（ただし、従前の法が適用される人は除く）へと国籍概念を変えた。

ところがそのころから、市民のあいだには移民統合政策に猛然と反発する人びとが増加したのである。既存の政党は移民に甘い、移民の文化に妥協的だ、このような批判の声を吸い上げたのがＡｆＤであった。

九〇年代に私がベルリンで調査をしたころ、ネオ・ナチは、外国人の比率は七・五％が我慢の限界だと言っていた。難民危機後の二〇一七年、本人が外国生まれ、もしくは親のいずれかが外国人である人の比率は二三・六％（一九三〇万人）に達し、最も多いトルコにルーツをもつ人の数は二七八万人と、ドイチェヴェレ（ドイツ国営国際放送）は伝えている（二〇一八年八月一日付け、データは全人口の一％を対象とするマイクロ・センサスによる）。

この状況に、ドイツ人の多くが不安を感じるようになった。ヨーロッパ諸国は、アメリカ、カナダ、オーストラリアのように、もともと移民からできている国ではない。したがって、原国民以外の人間が定住することに強い違和感を示しやすい。その問題を避けるには、たとえばフランスのように、人種や民族や宗教を問わず、フランス共和国の理念に共鳴し、原則を遵守《じゅんしゅ》し、個人として共和国に参加するという論理を使うか、オランダのように最初から文化の多様性を保障する以外に国民として統合する方法はない。しかし、もともと血統にもとづく国民概念を採用してきたドイツの場合、ドイツ人の「血」が流れているかどうかとキリスト教の伝統にこだわるのである。

外から来た人間の多くをムスリムが占めている。この事態にドイツでは、にわかに「アイデンティティの危機」が叫ばれるようになった。だが、「アイデンティティの危機」論は難民が殺到してから起きたのではない。

ドイツ連邦銀行の理事であり、自身はSPD党員だったティロ・ザラツィンが、『ドイツが自滅する』という本を書いてベストセラーになったのは二〇一〇年のことである。ザラツィンは、トルコ系移民の人口が増え続け、ついにはドイツを征服してしまうという脅威論を煽《あお》っただけでなく、ユダヤ人に対する人種差別的な発言もあって、連邦銀行の理事を解任されたが、すでにそのころ、彼の主張を支持する人びとは相当数に達していたといわれる。

ライトクルトゥーア論争

しかし、この話にはもう一つ前の段階がある。ライトクルトゥーア論争である。ライトクルトゥーア（Leitkultur）というのは、「主導的文化」というような意味である。最初に使ったのは、ドイツに拠点を置いているシリア出身の社会学者バッサム・ティービーだった。『アイデンティティなきヨーロッパ、多文化社会の危機』（一九八八年）という著作のなかで、ヨーロッパには啓蒙、自由、民主主義、そして寛容というような共通の価値があり、それこそヨーロッパの「主導的文化」だと論じたのである。

その直後から、この用語はドイツの保守政党、CDUとCSUのなかで盛んに使われるようになる。保守政党は、ティービーの提唱とは違って、これを「ドイツの主導的文化」の意味で使うようになった。ドイツ国内に多数居住するムスリム移民が、いつまでたってもドイツ社会に「統合」されないことへの苛立ちから、彼らをドイツの主導的文化に従わせようという意図にすり替えられたのである。これを主張し始めたころ、左派政党は「ドイツの主導的文化」という表現に、過去のドイツ民族主義への回帰を読み取って批判した。移民の統合が進んでいたか、進んでいなかったかという論争よりも、右翼的なナショナリズムを感じ取ったからである。

ここが微妙なところなのだが、CDUは戦後ドイツの民主主義や自由の観念を否定しようとしたわけではない。あからさまなイスラーム嫌悪を掲げたわけでもなければ、ムスリムの排斥を主張したわけでもない。移民、とりわけムスリムの移民たちは、ドイツ社会が戦後一貫して掲げてきた自由や民主主義という価値を尊重しなければならないということだった。先に挙げたメルケル首相の発言も、この延長線上にあった。

しかし、ムスリム移民との共生をめぐる事態は、この論争が起きた二〇〇〇年代初めから急激に悪化してしまった。いうまでもなく、アメリカで9・11同時多発テロ事件が起き、その後、マドリードやロンドンでもテロが相次ぐに至って、右派も左派も、ともにムスリム移民に対する懸念を深めるようになったのである。

最初にライトクルトゥーアの概念を提唱したバッサム・ティービーは、イスラームの立場、あるいはムスリム移民の立場を擁護したわけではなかった。彼はむしろ、多文化主義を容認してしまうと、特にムスリムたちが閉鎖的なコミュニティのなかで生きていくことになり、その結果、狭量《きょうりょう》なイスラーム主義の土壌になることを危惧していたのである。相次ぐテロ事件は、まさに彼の危惧を裏づけるものだった。

ドイツでは、これらの状況を受けて、ライトクルトゥーアは、むしろ規範性を強調する文脈で使われるようになった。すなわち、ドイツにいるなら政治化されたイスラームに従ってはいけない、ドイツが保障する個人の自由を制約してはいけないというような命令形で語られることが多くなっていくのである。今ではＡｆＤが、イスラーム排除をうたう選挙ポスターに、ライトクルトゥーアの一語を併記している。

9・11ではドイツに留学していたムスリムも関与していたことから、ムスリム移民がドイツ社会を破壊するのではないかという懸念は深刻なものとなった。こうして二〇〇五年にドイツ社会への統合プログラムが開始され、三〇〇時間のドイツ語の授業とドイツ社会への統合のための基礎教育を受けることが義務化された。それに伴って、ドイツ国籍の取得を望む場合には、試験が課されることになった。

「多文化主義」ではないドイツ

統合プログラムをスタートさせて五年経った二〇一〇年に、メルケル首相がドイツの多文化的状況は失敗だったと発言したのである。だがドイツには、異なる文化集団を並存させるという発想はなく、「異文化をもったままドイツに居てもいいが、居場所はないと思うよ」と言い続けていたのである。この点は多くの移民が指摘しているが、何十年もドイツに暮らしていても「ところでいつ母国に帰るの?」と聞かれるという。メルケル首相は、一方で、イスラームはドイツ社会の一部だと認めつつ、他方ではムスリム移民がいつまで経ってもドイツに「統合」されなかったことを失敗と呼んだのだが、当然のことながら、それはドイツ社会と移民社会の相互作用の結果であった。

ＣＤＵのバイエルン州での姉妹政党であるＣＳＵの代表であったゼーホーファーは、二〇一〇年にさらに手厳しい意見を述べている。そもそもトルコ人やアラブ人がドイツ社会に統合できると考えるのが間違いで、移民を受け入れるなら、もっとドイツ文化に近い人びとにするべきだというのである。

だが、これをムスリム移民の側からみると、まったく異なってみえる。

彼らは、ドイツ政府が移民に対して「統合」を求めていることは知っていたのだが、「統合」と言いつつ実は「同化」を求めているに違いないと考えていたのである。

ここには不幸にも二重の問題があった。ドイツ側は一九八〇年代から、口を開けば「統合」が必要とは言っていたのだが、その統合が何を意味するのか、ムスリム移民に理解できるように説明しなかった。私も何度となくドイツ政府のいう「統合」が何を意味しているのかをドイツの政治家に尋ね続けたが、答えは、ドイツ語を習得し、しかるべき職に就くこと以外にはなかった。あえて言えば、お互いを理解することの必要性はまったく想定されていなかったのである。

一方、トルコ人をはじめムスリム移民のほうは、ドイツの秩序や価値観を自分たちに押しつけていると感じていたから、ドイツは口では「統合」といいつつ、実は「同化」を強要しているのだと思い込んでしまった。ここでいうドイツの秩序というのは、日常的な次元でいえば、夜は静かに過ごす、秩序だった運転をする、時間を守るという基本的なことから始まる。そこまではムスリムも受け入れた。

だがその先には、男性と女性は何をするにも平等であるべきだから、学校では男女いっしょに水泳の授業も受け、女性だけがスカーフのような被り物を着けるのは女性差別であり、一〇代の後半になったら子どもは親から自立すべきだというような規範を受け入れることが求められた。ここでイスラームの規範と齟齬《そご》を来《きた》したのである。イスラームでは、第二次性徴を経た「大人」の男女は互いの秘すべきところを他人の前にさらしてはならない。親子の関係はヨーロッパ社会よりもはるかに密接であるし、家族から離れることによって人間が自立するものだという観念もない。こういう宗教的な価値に踏み込むような「郷に入っては郷に従え」を文化的な同化政策と受け取ったのである。

しかし、ここに深刻な断絶があることにムスリム移民も気づいていなかった。ドイツ側が言っていたのは、ここに滞在するならルールに従えということであって、ルールに従ったらドイツ人として、ドイツ社会を構成する対等なメンバーとして承認するという意味ではなかったのである。強固な血統主義にもとづく国民観念をもつドイツに、そもそも、民族も文化も異なるトルコ人やアラブ人を同胞として受け入れる素地はなかった。つまりドイツには、相手を同化させる意図は最初からなかったのである。しかし、規範だけを相手に押しつけても、移民の側は、いつまで経っても自分たちを「仲間」として受け入れないではないかと反発してしまう。結局、この断絶が、ドイツ社会に排外主義・反イスラームを生み、ムスリムの側にみずからをドイツ社会から隔離する傾向を生むことになった。

歓迎されないイスラームとの共生

ドイツの場合も結果的に、キリスト教的な価値を重視するという意味で保守的な人と、キリスト教とは遠く、むしろ無神論的な左派の人の両方からイスラームは忌避《きひ》され、ムスリムは嫌悪の対象となった。したがって、「極右」が移民や難民排斥を主張しているのだから右傾化が問題なのだという指摘は、必ずしも当たっていない。

もちろん、極右は「ヨーロッパの価値」よりも、「ドイツの価値」を重視する。だが異民族は出ていけと叫ぶと、ネオ・ナチとして処罰される。しかし女性に差別的で人権を軽視し、暴力を厭わないイスラームを排除したいと主張する分には、ネオ・ナチというレッテルを貼られないことを今の極右はよく知っている。かつて一九九〇年代のネオ・ナチは、東西ドイツ再統一の陰で取り残された貧困層の労働者を惹《ひ》きつけた。彼らがよく口にしていたのは「自分たちにも敬意を払え」というせりふだった。再統一で、どっと流入した東ヨーロッパ圏や旧ソ連からの「ドイツ系帰還者」に加えて、旧ユーゴスラビアやアフリカで内戦が始まり、多くの難民がドイツに流入した。庇護される彼らに比べて、ずっとドイツで働いてきた自分たちは、なぜ軽視されるのか？　その怒りのはけ口が、ネオ・ナチという道を選ばせていたのである。

もっとも、そのときも、怒りの矛先は社会主義圏からの「ドイツ系帰還者」よりも、アフリカからの難民や、すでに三〇年も定住していたトルコ系移民に向けられた。

一九九一年九月にはホイヤースヴェルダ（ザクセン州）でベトナム系の難民が収容されていた施設、九二年八月にはロストク（メクレンブルク・フォアポメルン州）でロマやベトナム系難民が収容されていた施設が襲撃された。そして九二年一一月にはメルン（シュレスヴィッヒ・ホルシュタイン州）でトルコ人一家の住居が放火され、三人が死亡、一人が負傷した。犯人の一人は放火後に消防署にみずから電話し「外国人を焼いてやった」と告げた。一人が終身刑、もう一人が一〇年の禁錮刑に処せられている。九三年五月にはゾーリンゲン（ノルトライン・ヴェストファーレン州）でもトルコ人一家の住居が放火され、五人が死亡している。

これら一連の事件は、再統一の興奮のなかでドイツ民族主義が高揚していたことと、再統一による東ドイツ地域への莫大な支援の陰で、恩恵に浴さなかった人たちの不満が重なり合って起きた。当時、コール首相は、ナチズムの再燃という疑いをかけられ世界から厳しい批判にさらされた。ドイツの良心といわれたヴァイツゼッカー大統領は、ドイツ国民が過去を直視しなければならないことを繰り返し説いた。ナチスの過去に対して、絶対に繰り返してはならないという思いは、今に比べれば、はるかに多くの市民に共有されていた。だがドイツ再統一から三〇年を経て、異質な文化との共生の志向は、はっきりと弱まっている。

そして現在、もっと広い範囲で、ムスリムの移民や難民に対する違和感と反感は共有されている。その声をすくいあげているのが、ＰＥＧＩＤＡであり、ＡｆＤなのである。

オランダのウィルダースは既成のリベラル政党から暴走した政治家だが、ドイツのＡｆＤは、ネオ・ナチ的な鬱屈を内包したまま、オランダ同様に、誰にも自由を侵害されたくないというリベラルの心情にもうまく合わせることで、支持を得たのである。したがって、これを一時の右傾化傾向とすることはできないと私は考えている。

3　イスラームとヨーロッパ

同化主義の失敗

イスラームとの共存に関する限り、ヨーロッパでは同化主義も多文化主義も失敗に終わった。同化主義は、1章でみたとおりフランスにおいて典型的だったが、実質的な差別を解消できなかったことでムスリム移民の再覚醒を促進した。フランスの場合、ヨーロッパのなかでも世俗主義を重視し、個人の行動を規制したことが、ムスリムには強い文化的な同化圧力と受け止められたのである。

繰り返しになるが、フランスのムスリム移民たちの母国は、もともとかつての植民地が多く、宗主国フランスの啓蒙主義の影響を受けていたため、世俗的だった。母国の社会が厳格なイスラームを適用していたから、フランスにイスラーム主義をもちこんだのではない。イスラームが本質的にフランスの世俗主義と相容れないのはそのとおりだが、彼らはもともと世俗的なムスリム社会で生きていて、さらに世俗的なフランス社会に暮らすようになってから、反転してイスラームに再覚醒した。その原因は、どれだけフランス共和国の理念に共鳴しても、その制度に従っても、「二級市民」扱いされ、人種差別を受け、自由も平等も得られなかったし、同胞愛の対象にもなれなかったことにある。そこを見落とすと、フランス型の同化主義がなぜ失敗したのかを明らかにすることはできない。

一度、自覚的に世俗主義と袂《たもと》をわかってしまうと、これは移民に限らずあらゆるムスリムにいえることだが、自分はイスラームの正しい道に戻ったと確信するので二度と世俗主義には戻らない。世俗主義と折り合いをつけて生きることは必ずしも不可能ではなかったのだが、ムスリムの信仰実践を私的空間と公的空間とでわけることは原理的に困難である。

したがって、家のなかではイスラームの教えに従って女性は被り物を身に着け、公の場所では脱ぐというようなことは成り立ちようがない。そもそも被り物は、家族それも夫以外の異性の前で性的部位を覆うものなのだから、公的空間でこそ着用しなければ意味がない。それを無理やり区分して、公的空間での信仰実践を制約するという「同化」を強いたことで、同化主義は失敗に終わった。

多文化主義の限界

他方、多文化主義というのは、制度化をともなわずに、多様性のすばらしさや異文化への寛容を説いているだけである限り、掌《てのひら》を返したように、多文化主義はだめだ、失敗だったとヨーロッパ社会の側が主張し始めると、そこで終わってしまう。

ムスリムの側がヨーロッパ社会への態度を変えたわけではない。彼らは、ヨーロッパの排外主義者が疑っているように、ヨーロッパをイスラーム化しようなどとは思っていない。圧倒的多数のムスリムは、自分たちの信仰実践に自由を認めるよう望んだだけだが、それさえも許容されないのが現実である。

ヨーロッパは、今の世界で普遍的となっている国民国家のふるさとである。本書の冒頭でも指摘したように、大陸ヨーロッパの場合、小さな国も含めてひしめきあっている。外国人として旅行するだけではあまり意識しないが、一つ一つの国には、国民とは誰かを決める原理と原則がある。それが血統にもとづくこともあるし、理念にもとづく共同体として規定されることもある。

したがって、その国を構成するメンバーとしての国民の定義に当てはまらない人、つまり外国人や移民、そして難民は、一般的に国民と同じ位置にはいない。同時に一人の人間としての権利、つまり人権を保障しなければならないという考え方もヨーロッパで成長した。そのために、異文化の尊重は、現代のヨーロッパに通底する価値の一つといってよい。

しかし、その詳細をみていくと、国ごとにだいぶ異なるのである。実際、外国人労働者としてやってきて、その国に定住した移民を「民族」で括《くく》って平等な権利を保障するとなると、もともといた国民の理解を得ることは大変むずかしい。したがって、民族文化を単位とする多文化主義というのは、「尊重しましょう」というスローガンとしては受け入れられても、「制度として保障しましょう」というコンセンサスはほとんどの国で得られていない。

しかし、宗教に関する「多文化主義」は相対的に認めやすいものだった。オランダのように、カトリックとプロテスタントが長年にわたって争った国では、争いをやめるには、両方の教会と信徒社会に平等な権利を保障するしかなかったし、それが近道だった。二〇世紀になると、社会主義者あるいは無神論者の集団も登場したから、彼らにも同じように平等な権利を保障しようということになった。民族とは異なり、宗教は選択の余地があることも、相違を認めやすいことの理由の一つである。それに加えて、第二次大戦後、二度とユダヤ人を迫害しないという誓いは、なにもドイツだけのものではなかった。彼らの宗教であるユダヤ教との共存は、ヨーロッパにとって絶対の条件となった。

その延長線上に、ムスリムの移民が参加してきたとき、彼らの宗教にも平等な権利を保障するというコンセンサスを得るのは、それほどむずかしいことではなかった。宗教の共存において最も先端的な多文化主義を採用したオランダは、カトリックの学校、プロテスタントの学校、無神論者の学校（非宗教的な学校）に加えて、先に述べたようにムスリムのための学校も公的な予算で設置した。宗教だけでなく、多文化主義は思想にも広げられて、モンテッソーリ教育の学校のように思想によるコミュニティが設置を望んだ場合にも認められた。

ムスリムへの理解

しかし宗教の多様性にもとづいた多文化主義は、いま、危機に瀕している。ヨーロッパ最大の「異質」な宗教集団がイスラームとなったためである。フランスやドイツのように、基本的に多文化主義を採用しなかった国はもちろんのこと、多文化主義を制度化したオランダやイギリスでも、ムスリムに警戒を強めている。ポーランドやハンガリーのようにムスリムには居場所がないと断言する政治家が登場した東ヨーロッパの国を別とすれば、まだ西ヨーロッパの国々は移民受け入れの歴史からムスリムを完全に排除するには至っていない。しかし穏健なムスリムと過激なムスリムとを識別して、後者を監視下に置くことによって治安の維持を図るところまでは、どの国でもなされている。

警察や治安機関が、ムスリムの信仰を「穏健」と「過激」に分類しようというのである。だが、これはうまくいかない。なぜなら、イスラームには過激も穏健もないからである。信仰に関する膨大な規範(ルール)をムスリムがどこまで実践するかによって、非ムスリムからみたときに穏健な人と過激な人にわかれてみえるにすぎない。ムスリムは一日五回の礼拝を守り、ラマダン月には断食し、貧しい人には喜捨をして、メッカへの大巡礼をするのかというなら、する人もいるし、しない人もいる。同様に、ムスリムの義務である「ジハード」について、何をどこまでやるのかも、個人によって大きな違いがある。

過激派によるテロが頻発したために、ヨーロッパの警察や情報機関が最も知りたいのはこの点にある。だがムスリムは、「ジハードというのは何も信仰の敵と戦って抹殺することではない、みずからの信仰を正すために善行を積むこともジハードだ」と答える。非ムスリムからみると「答えをはぐらかされた」と感じるはずだが、事実そのとおりなのである。敵を殲滅《せんめつ》に行くタイプのジハードに凝り固まっている信徒もいれば、日々の生活で、弱い立場の人を守るために戦っている人もいる。どちらも「ジハードの戦士」に違いはない。

たとえば、シリアやイエメンの子どもたちの惨状を目にしたときに激怒するムスリムならいくらでもいる。しかしその先は異なる。一瞬、怒ってみせるだけで何もしないムスリムもいる。子どもたちのために募金に応じるムスリムもいる。子どもたちを救うためにイスラームNGO

に参加する、あるいは酷い目に遭わせたアサド政権と戦うためにジハード組織の戦闘員になるムスリムもいるのである。しかも最初は怒るだけだった人が、しだいに実践の度合を高めていくこともある。何らかのできごとがきっかけで、突然、シリアに戦闘員として行ってしまうこともある。この行動を思想から識別することは、外部の者には不可能なのである。

ムスリムの行動を暴力から引き離すための唯一の方策は、ヨーロッパ社会が彼らに対する優越意識を捨てて、ムスリムとはどういう人間であるのかをイスラームの文脈から理解しようとすることである。そのなかには当然、弱者を迫害したときにムスリムという人間が、どれほど怒るかというごく単純な事実の理解も含まれていることは、いうまでもない。

ムスリム移民にとって、多文化主義も災いをもたらした。多文化の共存に寛容だったヨーロッパ諸国の社会は、実はムスリム移民が自分たちとは異なる価値観をもつ集団だったことに気づいて怒りだした。それも、隣人となって半世紀も経ってから、彼らを「発見」したのである。隣人の信仰がどのようなもので、何を重んじ、何を嫌うのか、半世紀のあいだ何ら関心をもつことがなかった結果である。

多文化主義を制度的に保障している場合も、結果は同じだった。キリスト教徒に認めている権利、無神論者にも認めている権利をムスリムにも平等に認めるのが多文化主義の制度化である。なまじ権利として認めてきたために、隣人を脅威だと思い込んでしまうと、何とかして権利を剝奪するための理屈を編み出そうとする。多文化主義社会の危険はここにある。

権利を剝奪できるとしたら、相手を差別主義者にするか、あるいはヨーロッパが共有する民主主義や人権や理性といった諸価値を無視する人間集団だと決めつける以外に方法はない。実際、ここ数年、あらゆるヨーロッパ諸国で展開される反イスラーム言説というのは、ほぼこの線に沿って構築されている。

相違の根源を知る

イスラームには民主主義も人権も理性もすべてそろっているのだが、同じ言葉で表現したとしても、それが指し示す中身がヨーロッパ社会のそれらとは大きく異なっている。

人権はもとより保障されるが、すでに書いたように、男女の平等は、性別役割分業を前提としたうえでのものである。したがって、家族の生計を支える義務は男性に課される。女性は男性の保護下に置かれる。厳密にイスラームに従うなら、男性は一方的に離婚を宣言することができるが、扶養の義務や貞操義務に違反した場合は、女性からも離婚を請求できる。

このように西欧の平等とはかなり異なる発想を含んでいるのは事実だが、そういう構造をヨーロッパのような形式的な平等につくり変えるように命じても、一四〇〇年前に神の啓示として与えられた体系を変更することは不可能である。アッラー(神)が人間に下し、使徒ムハンマドによって伝えられた規範は、時代の移り変わりによって変えられない。そこに、イスラームの本質があることをヨーロッパ社会は知らなかった。

話を複雑にしてしまうようだが、ここに挙げたイスラーム的な規範が、現実にヨーロッパ社会で通用しないことも、多くのムスリム移民は承知している。人民が主権をもつことも、議会が立法権をもつことも、憲法が最高法規であることも知っているし、女性の権利がイスラームとは異なる文脈で保障されることもよく知っている。

実際のところ、ムスリム移民の日常生活で、ヨーロッパの規範と衝突するのは、女性の被り物、学校での男女共修の水泳や校外学習ぐらいである。ムスリムは豚を食べないが、だからといって豚を食べるヨーロッパ人を敵視したり、襲撃したりすることはない。ムスリムにとって、豚は食べ物に見えていないだけのことである。酒を飲むヨーロッパの人びとを冷ややかにみることはあっても、バーやビヤホールを閉鎖しろと主張するムスリムもいない。彼らの母国でも飲酒を厳格に禁止しているのは一部の国だけだし、そういう国の人もヨーロッパに移住すると酒を飲むようになることもある。

移民として最初のうちは、ムスリム自身も、自分たちの信仰の基盤をなしている法の体系が近代以降のヨーロッパ社会の法体系と、どう違っているのかを知らなかったし、意識してもいなかった。先に書いたように、一九八〇年代あたりから、急速に両者の相違というものが自覚されるようになった。それが、この本でいうムスリムとしての再覚醒だったのである。

再覚醒を経験したムスリムは、法体系まで拒絶することは少ないが、ヨーロッパ社会の諸価値に接近することはできない。そして自分たちの優位と正当性を深く信じているヨーロッパ社会は、イスラームの諸価値とその法体系に歩み寄ることはないし、理解しようとしないのである。

おわりに　共生破綻への半世紀

この本で述べてきたように、イスラームとヨーロッパとの共生が破綻に至るまでには、およそ半世紀に及ぶ国境を越える人の移動の歴史があった。中東・イスラーム世界では、強権的な領域国民国家体制が限界に達する歴史があった。イスラエルによるパレスチナ占領、対抗してきたアラブの連帯の消滅。石油の富を独占し続けるためには、イスラエルの背後にいるアメリカ軍の傘の下に入る道を選ぶという歴史もあった。

それに対抗するアルカーイダや「イスラーム国」は、中東・イスラーム諸国を破壊しようとしたが果たせず、欧米諸国に狙いを変えてパリやブリュッセルやベルリンでテロを続発させ、ムスリム全体が敵視される原因をつくった。

ムスリム諸国のなかで唯一、半世紀以上にわたってEUへの加盟をめざしてきたトルコは、二〇〇五年に一度、正式加盟交渉を開始したものの、加盟国世論の強烈な反対を前に首脳たちが動揺し、わずか一年で交渉は頓挫した。トルコ国民のほとんどは、EUが「キリスト教クラブ」と化したことを目の当たりにし、いっそうムスリムとしての再覚醒が進むことになった。

私たちは、いま、ここにいる。国家の秩序も同盟関係も崩れ、国連安保理は、この地域での紛争解決に実効性をもてない主権国家の寄り合い所帯と化した。冷戦によって崩れた世界的な秩序は、その後「イスラームに対する排除」の一点に収斂《しゅうれん》する方向で秩序の再構築を図っているようにみえる。ヨーロッパが、インクルーシブネス(取り込んでいく)からエクスクルーシブネス(排除していく)に転換した三〇年であった。


二〇二〇年四月、これを書いているのは新型コロナウイルスによるパンデミックが世界を襲っている最中である。第二次大戦後に現在の諸国家体制ができて以来、感染症が世界を覆いつくすのは初めてである。この未曽有の危機が、この本で焦点をあてたイスラームとヨーロッパのあいだにどういう影響を及ぼすのかを書き記すことはできない。

だが、感染拡大が始まってすぐに、世界各地でアジア系の人たちに対する差別が表面化した。感染が中国から始まったと報道されたことによるのだが、疫病を異国の人びとと結びつける発想自体は目新しいものではない。一五世紀末からヨーロッパで広がった梅毒が、フランスを除く多くのヨーロッパ諸国で「フランス病」と呼ばれ、当のフランスでは「ナポリ人の病」、トルコでは「キリスト教徒の病」と呼ばれたこともその一例である。

今回の新型コロナウイルスによる感染症についても、アメリカのトランプ大統領が「中国のウイルス」と呼び、世界的にも「武漢ウイルス」という呼び名がしばしば使われていた。しかし、最初に感染が拡大した土地がどこであれ、そのことと差別を結びつけるのは不当なことである。その不当性を自覚しながら差別する人びとは、中国が生物兵器としてウイルスを使ったという陰謀論に接近する。トランプ大統領の発言を受けて、中国もアメリカによる陰謀説を展開した。

この陰謀論の応酬は、イスラームを名乗るテロリストの犯罪を糾弾する際にも使われたことを思い起こしておきたい。暴力が悪いのではなく、イスラームに根源的な問題があるとして、ムスリムを差別、排除する主張は、この本でみてきたとおり、過去二〇年にわたって世界に蔓延した。これに対して急進的なイスラーム主義勢力は、たえずアメリカはムスリムの排除を狙っているという陰謀論を盛んに展開した。イランは国家を挙げて、アメリカをあらゆる陰謀の源泉と主張している。

私が注目するのは、世界がすでにこのような分断と排除に向かって傾斜しているときに、新型コロナウイルスのパンデミックが発生した点である。パンデミックそれ自体は、まさしくグローバルな現象であり、豊かな国と貧しい国を問わずに襲った。当然のことながら、パンデミックに対抗するには、グローバルな協力が必要である。

しかし、世界は国を越えて協力する方向には向かっていない。巨大な製薬企業は新型コロナウイルスの治療薬やワクチンの開発をめぐってしのぎを削っているが、それは、市場を独占して巨額の利益を得るための新自由主義的な経済活動の一環である。グローバリズムは彼らにとっては当然の前提だが、得られた成果の分配が、貧富の別なく、等しく世界の人びとに還元される可能性はきわめて低い。

このことに関連するのは、すでに世界にあふれている難民と、押しとどめることのできない膨大な移民の発生である。難民が集中して居住しているのは、戦争や紛争の渦中にある国（地域）に隣接する諸国であり、多くはムスリムである。アジア、中東、アフリカのどこをとっても、紛争当事国も隣国も豊かな国ではない。シリアの北西部イドリブには、いまも政府軍とロシア軍の攻撃を逃れた国内避難民が一〇〇万人近く、トルコとの国境に殺到し、テント生活を送っている。

国際移住機関（IOM）や国連難民高等弁務官事務所（UNHCR）は、人びとが密集する難民キャンプの環境が劣悪で、新型コロナウイルスの感染が拡大すれば大惨事となることを何度も警告している。しかしどの国も自国民のケアが先決で、到底、難民にまで手が回らない。それに登録をしていない難民や移民は、そもそも保護の対象にすらならない。二〇二〇年三月下旬、インド政府が全土で三週間にわたる外出禁止令を出した。経済活動は広い範囲で停止し、隣国ネパールから働きに来ていた移民労働者は、生計を立てる手段を絶たれたため帰国しようと国境に殺到した。しかし国内での感染拡大を恐れたネパール政府は、自国民の帰国を許さず、多くの人が国境で立ち往生するという事態になった。国家が国民を守らない事態は、今、世界にあふれている。

第二次大戦後の世界では、それまでになく、自発的により豊かな生活を求めて国境を越えて移動する「移民」と、紛争、内戦、戦争による生命の危険から逃れるために他国に渡る「難民」が急増した。いずれも、領域国民国家の枠を越える人の移動である。この移動は、各国の主権とは無関係に発生した。主権をもつ領域国民国家から成る世界が成立したのは、せいぜい二〇世紀半ばのことであった。その直後から、経済活動や旅行のために人は国境を越えて大規模に動き始めたのである。そこに難民や移民の大規模な移動が加わった。

新型コロナウイルスによるパンデミックは、端緒が難民や移民ではなかったが、地球上を巡る人の流れによって引き起こされた。そして、その流れを止めない限り、感染の拡大を止めることができないこともはっきりした。当面、国家というものは、その領域の壁を高くし、今まで以上に主権を主張し、国民のために資源を分配しようとする。結果的に、そこに居るはずではない人びと、とりわけ異文化を背負う人びとが排除されることを、いったいどのようにして防ぐことができるのだろうか。

ヨーロッパ社会のなかのムスリムは、加盟国のそれぞれから居るべきではない人間とされ、さらにヨーロッパには属さない存在とされてきた。パンデミックは、二重の意味で彼らの生存を脅かす時代の到来を告げることになるだろう。

その一方で、パンデミックに抗《あらが》う人間としてムスリムは類稀《たぐいまれ》な強さをもっていることが、明らかになりつつある。預言者ムハンマドの言行録である『ハディース』には、当時知られていた感染症のペストに対して、以下の言葉がある。「もしあなた方が或る土地にペストがはやっていることを聞いたならば、そこへ入るな。また、あなた方が居る土地にペストが起ったときはそこから出るな」(中巻、牧野信也訳、中央公論社、一九九四年)。世界のイスラーム指導者は、みな、この『ハディース』を引用して移動を止めるように説いた。トルコのエルドアン大統領も国民向けの演説でこれを使い、「家に居なさい」はトルコ政府の新型コロナウイルス対策の柱とされたのである。

『ハディース』に典拠があると、すべてのムスリムはそれに従う義務を負う。しかも、二〇二〇年のパンデミックでは、欧米諸国も日本も、外出の禁止や自粛を国民に強く要請した。そのためムスリムは、やはりアッラーは偉大であり、ムハンマドはその使徒なのだという思いを深くした。先進的な医学の求めることと、預言者ムハンマドが求めることは同じだったからである。

感染によって重篤な肺炎を引き起こす確率が高齢者で高いことが明らかになると、ムスリムは老親や高齢者を守るというイスラーム的倫理に訴えた。親を大切にすることは『コーラン』で繰り返し求められている。トルコでは六五歳以上の高齢者に外出禁止を命じ、その代わりに市の職員、警察官、ボランティアを動員して生活物資を供給させた。誰もが経験したことのない不安に怯えるなかでさえ、イスラームは信徒に道を示すのである。

さらに、結果的に病におかされて死に至るケースでも、イスラームはある種の強みを発揮する。病床での苦しみは来世での罰を生前に受けることを意味し、その分、最後の審判において天秤で量られる「悪行」が帳消しになるとイスラームは教える。本人にとっての苦しみ、肉親にとっての悲しみを来世での楽園への道ととらえる発想は、このような厄災に対して、ムスリムがきわめて強いレジリエンスをもつことを示している。現実には、医療の態勢が整っていない国や地域が多いため、多数の犠牲者を出すことになるだろう。だが、このパンデミックによって、信仰の道に立ち返ろうとするムスリムは増えるはずである。

新型コロナウイルスの感染症によるパンデミックは、間違いなく世界の構造を変えることになる。イスラーム世界とヨーロッパ、両者とも甚大な人的被害を受ける点では同じである。パンデミックが終息を迎えた後、人類の叡智がこの感染症を制圧したと信じるヨーロッパ、神はいかなる災厄にも正しい道を示したと信じるイスラーム世界——両者は異なる道を歩んでいくことになるだろう。

あとがき

イスラームとヨーロッパの関係は、過去二〇年、溝を深めるばかりで、どこかで『ヨーロッパとイスラーム』の続編を書こうと考えても、区切りというものを見いだせないまま今日に至った。なかでも、今年で一〇年となるシリア内戦の結果、二〇一五年に膨大な難民がヨーロッパに渡ったことは、両者の関係を決定的に変えてしまった。

これまでも、イスラーム世界とヨーロッパをめぐる状況に大きな変化が発生するごとに考えるところをまとめてきたので、いくつかの既刊の著作や論文で書いたことも本書に含まれている。研究者としては、内容的に重なるものを書くべきではないが、次々と発生する新たな事象だけを切り取ると、その前に起きていたこととの関係は見過ごされがちである。この五年間に相次いだテロ事件にせよ、難民問題にせよ、問題が発生する以前の状況に立ち返ったうえで新たな知見を上書きしないと、将来、なぜこんなことが起きたのかをたどることはむずかしい。

私は、西欧とイスラーム世界の関係が緊張を高める一九八〇年ごろから研究を始め、限られた地域ではあるが中東では八〇年代前半にシリア、九〇年代前半にトルコ、そして冷戦の終わるころからヨーロッパ諸国でフィールドワークを重ねてきた。本書では、私の経験にもとづいて、過去四〇年の二つの巨大な文明圏の相克を描いてみようと考えたのである。

私の研究の基本は、可能な限り人びとの声を聴くことにある。そこからイスラーム社会、ヨーロッパ社会、そして両者の関係を描き出そうとしてきた。この手法について多くの示唆を得た書物の一つが、片倉もとこ先生の『イスラームの日常世界』(岩波新書)であった。市井の人びとの信仰実践からイスラームを描いたこの名著の編集を担当された坂本純子さんに、本書の編集をお願いできたことは大きな喜びである。心からお礼を申し上げたい。新型コロナウイルスの感染拡大という危機のなかで、作業を続けてくださった校正者の方にも深く感謝申し上げる。

この数カ月、大学も対面での講義ができないという異例の事態となった。本のあとがきに個人的なことは書かないことにしているのだが、数カ月にわたって自宅に籠るという非日常的生活のなかで、文字通り、苦楽を共にしてきた妻の里依に感謝の気持ちを表したい。

二〇二〇年六月九日

内藤正典

関連年表

1997	11月　エジプト，ルクソール観光客襲撃テロ事件　イスラーム集団．死者60人超
1998	8月　ケニア，タンザニア，アメリカ大使館爆破事件　アルカーイダ．死者200人超
2001	9月　アメリカ同時多発テロ事件(9.11)　アルカーイダ．死者約3000人
	10月　アフガニスタン侵攻「不朽の自由」作戦　タリバン政権は打倒され，カルザイ政権成立．戦後を含め市民の死者は約4万人？
2002	10月　インドネシア，バリ島爆破事件　イスラーム過激派．死者200人超
2003	3月　イラク戦争　その後，イラクではスンニー派対シーア派の衝突で犠牲者が増加．戦後を含め市民の死者は約20万人？
	9月　ドイツ，ルディン裁判　連邦憲法裁判所でスカーフ着用による教員任用拒否に違憲判決．その後，各州で教員の被り物を禁止する法制化が進む
2004	3月　スペイン，マドリード，アトーチャ駅ほか列車爆破テロ事件　アルカーイダ？死者190人超
	3月　フランス，公立学校での宗教的シンボルの禁止法成立　実質的にムスリム女性の被り物を禁止する措置
	11月　オランダ，映画監督のテオ・ファン・ゴッホ暗殺　イスラームを侮辱したとしてモロッコ系移民により殺害
	12月　EU，トルコとの加盟交渉開始決定
2005	7月　イギリス，ロンドンで同時多発テロ　アルカーイダ．死者50人超
	9月　デンマークの新聞，ムハンマドの風刺画掲載
	10月　EU，トルコとの加盟交渉開始
2006	9月　ローマ教皇ベネディクト16世，イスラームの宣教は暴力的と発言し，イスラーム世界から反発を招いた
	12月　EU，トルコとの加盟交渉中断
2008	11月　インド，ムンバイ同時多発テロ事件　イスラーム過激派．死者160人超
	12月～09年1月　イスラエル，ガザを攻撃　死者1300人超．国連パレスチナ難民救済事業機関(UNRWA)運営

	の避難所が攻撃され40人死亡
2009	7月　ドイツ，ドレスデンで被り物を着用したムスリム女性が法廷で殺害　反イスラーム主義者の犯行
2010	12月　チュニジア，「ジャスミン革命」始まる　大規模な民主化運動「アラブの春」の始まり
2011	1月　エジプト，ムバラク政権打倒の運動　2月にムバラク大統領辞任
	2月　リビア，カダフィー政権打倒の運動　NATO軍が介入
	3月　シリア，反政府運動拡大(内戦の端緒)　内戦は2020年6月現在収束せず．死者約40万人
	4月　フランス，公共の場でのムスリム女性の被り物禁止法(ブルカ禁止法)施行
	5月　オサマ・ビンラディンをアメリカ軍がパキスタンで殺害
	7月　ベルギー，公共の場でのムスリム女性の被り物禁止法施行
	7月　ノルウェー，オスロ連続テロ事件　極右排外主義者．死者70人超
2012	～　シリア難民のトルコ，レバノン，ヨルダンへの流出
	6月～　ミャンマー，多数のロヒンギャを追放
	6月　エジプト，初の自由選挙でモルシー大統領選出
2013	1月　アルジェリア，人質殺害事件　イスラーム過激派．死者48人
	2月　ドイツ，ドイツのための選択肢(AfD)結成
	4月　アメリカ，ボストンマラソン爆弾テロ事件　イスラーム過激派．死者3人
	7月　エジプト　クーデタ，シーシー国防相政権奪取　モルシー大統領逮捕，ムスリム同胞団弾圧
	10月　イタリア，ランペドゥーザ島で難民船沈没　犠牲者多数．2014年には16万人以上の難民が地中海からイタリアなどへ
2014	7月～　リビア内戦激化
	7～8月　イスラエル，ガザを攻撃　死者2100人超
	8月　アメリカ軍と有志連合軍，イラクとシリアで「イスラーム国」掃討作戦開始

	10月　ドイツ，ドレスデンでPEGIDA運動始まる　PEGIDAとは「ヨーロッパのイスラーム化に反対する愛国的ヨーロッパ市民」
2015	1月　フランス，(a)シャルリー・エブド襲撃，(b)ユダヤ系マーケット襲撃テロ事件　イスラーム過激派．死者(a)12人，(b)4人
	3月　チュニジア，バルド国立博物館襲撃テロ事件　イスラーム過激派．死者20人超
	4月～16年3月　シリア，アフガニスタン，イラク難民，トルコを経由してヨーロッパへ殺到
	9月　ドイツ，メルケル首相，難民受け入れを表明
	9月～　イエメン内戦激化
	9月　ロシア，シリア内戦に軍事介入，アサド政権支援
	10月　トルコ，アンカラ爆破テロ事件　「イスラーム国」．死者100人超
	11月　フランス，パリ同時多発テロ事件　「イスラーム国」．死者130人超
2016	3月　ベルギー，ブリュッセルで同時多発テロ　「イスラーム国」．死者30人超
	3月　EU，トルコ難民流出抑制で合意
	6月　トルコ，イスタンブールのアタテュルク国際空港テロ事件　「イスラーム国」．死者40人超
	7月　バングラデシュ，ダッカ，レストラン襲撃テロ事件　「イスラーム国」？ 死者20人超
	7月　イラク，バグダード爆弾テロ事件　「イスラーム国」．死者200人超
	7月　フランス，ニースでテロ事件　イスラーム過激派？死者80人超
	7月　トルコ，クーデタ未遂事件　ギュレン系組織．死者251人
	9月　ドイツ，ベルリン市議会選挙でAfD躍進
	12月　ドイツ，ベルリンでのクリスマスマーケット襲撃テロ事件　イスラーム過激派？．死者10人超
2017	1月　トルコ，イスタンブール，ナイトクラブ襲撃テロ事件　「イスラーム国」．死者約40人
	3月　オランダ議会選挙で自由党(PVV)が第2党に躍進
	3月　イギリス，ウエストミンスターブリッジ等襲撃テ

	ロ事件　イスラーム過激派？死者5人
	4月　スウェーデン，ストックホルムでテロ事件　イスラーム過激派．死者4人
	5月　フランス大統領選挙決選投票　マクロン大統領誕生，次点は極右のマリーヌ・ル・ペン
	5月　イギリス，マンチェスター・アリーナ爆破テロ　イスラーム過激派．死者20人超
	6月　イギリス，ロンドンブリッジなどで襲撃テロ事件　イスラーム過激派？死者8人
	8月　スペイン，バルセロナ，テロ事件　イスラーム過激派？死者10人超
	9月　ドイツ連邦議会選挙でAfD躍進　94議席獲得で野党第1党
	10月　オーストリア，ムスリム女性の被り物禁止法施行
	11月　エジプト，シナイ半島でモスク襲撃「イスラーム国」．死者300人超
2018	5月　イスラエルのアメリカ大使館をエルサレムに移転
	8月　デンマーク，ムスリム女性の被り物禁止法施行
	11月～　西アフリカのナイジェリア，ニジェール，ブルキナファソなどで「イスラーム国」系の武装勢力による襲撃多発
2019	3月　ニュージーランド，クライストチャーチ，モスク襲撃テロ事件　反イスラーム主義者．死者50人超
	6月　デンマーク議会総選挙　左派の排外主義傾向顕著に
	10月　アメリカ軍，「イスラーム国」の自称カリフ，バグダーディーを殺害
2020	1月　アメリカ，イラクのバグダードでイランの革命防衛隊ソレイマニ将軍殺害　イラン全土で反米感情高揚

内藤正典

1956年生まれ．79年東京大学教養学部教養学科(科学史・科学哲学分科)卒業．82年同大学院理学系研究科地理学専門課程中退，博士(社会学・一橋大学)．

一橋大学大学院社会学研究科教授を経て，現在，同志社大学大学院グローバル・スタディーズ研究科教授，一橋大学名誉教授．

専門分野は現代イスラーム地域研究．

著書に『ヨーロッパとイスラーム』(岩波新書)，『外国人労働者・移民・難民ってだれのこと？』(集英社)，『となりのイスラム』(ミシマ社)，『限界の現代史』(集英社新書)，『アッラーのヨーロッパ』(東京大学出版会)などがある．

イスラームからヨーロッパをみる
——社会の深層で何が起きているのか　岩波新書(新赤版)1839

2020年7月17日　第1刷発行

著　者　内藤正典《ないとうまさのり》

発行者　岡本　厚

発行所　株式会社　岩波書店
〒101-8002 東京都千代田区一ツ橋2-5-5
案内 03-5210-4000　営業部 03-5210-4111
https://www.iwanami.co.jp/

新書編集部 03-5210-4054
https://www.iwanami.co.jp/sin/

印刷・理想社　カバー・半七印刷　製本・中永製本

© Masanori Naito 2020
ISBN 978-4-00-431839-2　　Printed in Japan

岩波新書新赤版一〇〇〇点に際して

ひとつの時代が終わったと言われて久しい。だが、その先にいかなる時代を展望するのか、私たちはその輪郭すら描きえていない。二〇世紀から持ち越した課題の多くは、未だ解決の緒を見つけることのできないままであり、二一世紀が新たに招きよせた問題も少なくない。グローバル資本主義の浸透、憎悪の連鎖、暴力の応酬——世界は混沌として深い不安の只中にある。

現代社会においては変化が常態となり、速さと新しさに絶対的な価値が与えられた。消費社会の深化と情報技術の革命は、種々の境界を無くし、人々の生活やコミュニケーションの様式を根底から変容させてきた。ライフスタイルは多様化し、一面では個人の生き方をそれぞれが選びとる時代が始まっている。同時に、新たな格差が生まれ、様々な次元での亀裂や分断が深まっている。社会や歴史に対する意識が揺らぎ、普遍的な理念に対する根本的な懐疑や、現実を変えることへの無力感がひそかに根を張りつつある。そして生きることに誰もが困難を覚える時代が到来している。

しかし、日常生活のそれぞれの場で、自由と民主主義を獲得し実践することを通じて、私たち自身がそうした閉塞を乗り超え、希望の時代の幕開けを告げてゆくことは不可能ではあるまい。そのために、いま求められていること——それは、個と個の間で開かれた対話を積み重ねながら、人間らしく生きることの条件について一人ひとりが粘り強く思考することではないか。その営みの糧となるものが、教養に外ならないと私たちは考える。歴史とは何か、よく生きるとはいかなることか、世界そして人間はどこへ向かうべきなのか——こうした根源的な問いとの格闘が、文化と知の厚みを作り出し、個人と社会を支える基盤としての教養となった。まさにそのような教養への道案内こそ、岩波新書が創刊以来、追求してきたことである。

岩波新書は、日中戦争下の一九三八年一一月に赤版として創刊された。創刊の辞は、道義の精神に則らない日本の行動を憂慮し、批判的精神と良心的行動の欠如を戒めつつ、現代人の現代的教養を刊行の目的とする、と謳っている。以後、青版、黄版、新赤版と装いを改めながら、合計二五〇〇点余りを世に問うてきた。そして、いままた新赤版が一〇〇〇点を迎えたのを機に、人間の理性と良心への信頼を再確認し、それに裏打ちされた文化を培っていく決意を込めて、新しい装丁のもとに再出発したいと思う。一冊一冊から吹き出す新風が一人でも多くの読者の許に届くこと、そして希望ある時代への想像力を豊かにかき立てることを切に願う。

（二〇〇六年四月）

岩波新書より

現代世界

トランプのアメリカに住む　吉見俊哉
ライシテから読む現代フランス　伊達聖伸
ベルルスコーニの時代　村上信一郎
イスラーム主義　末近浩太
ルポ 不法移民 アメリカ国境を越えた男たち　田中研之輔
習近平の中国 百年の夢と現実　林望
日中漂流　毛里和子
中国のフロンティア　川島真
シリア情勢　青山弘之
ルポ トランプ王国　金成隆一
ルポ 難民追跡 バルカンルートを行く　坂口裕彦
アメリカ政治の壁　渡辺将人
プーチンとG8の終焉　佐藤親賢
香港 中国と向き合う自由都市　倉田徹・張イクマン
〈文化〉を捉え直す　渡辺靖

イスラーム圏で働く　桜井啓子編
中南海 知られざる中国の中枢　稲垣清
フォト・ドキュメンタリー 人間の尊厳　林典子
㈱貧困大国アメリカ　堤未果
女たちの韓流　山下英愛
新・現代アフリカ入門　勝俣誠
中国の市民社会　李妍焱
勝てないアメリカ　大治朋子
ブラジル 跳躍の軌跡　堀坂浩太郎
非アメリカを生きる　室謙二
ネット大国中国　遠藤誉
中国は、いま　国分良成編
ジプシーを訪ねて　関口義人
中国エネルギー事情　郭四志
アメリカン・デモクラシーの逆説　渡辺靖
ユーラシア胎動　堀江則雄
オバマ演説集　三浦俊章編訳
ルポ 貧困大国アメリカⅡ　堤未果

オバマは何を変えるか　砂田一郎
イスラエル　臼杵陽
ネイティブ・アメリカン　鎌田遵
アフリカ・レポート　松本仁一
ヴェトナム新時代　坪井善明
イラクは食べる　酒井啓子
ルポ 貧困大国アメリカ　堤未果
エビと日本人Ⅱ　村井吉敬
北朝鮮は、いま　北朝鮮研究学会編 石坂浩一監訳
欧州連合 統治の論理とゆくえ　庄司克宏
バチカン　郷富佐子
国際連合 軌跡と展望　明石康
アメリカよ、美しく年をとれ　猿谷要
日中関係 戦後から新時代へ　毛里和子
いま平和とは　最上敏樹
「民族浄化」を裁く　多谷千香子
サウジアラビア　保坂修司
中国激流 13億のゆくえ　興梠一郎

岩波新書より

多民族国家 中国　王　柯
国連とアメリカ　最上敏樹
東アジア共同体　谷口　誠
ヨーロッパとイスラーム　内藤正典
現代の戦争被害　小池政行
帝国を壊すために　アルンダティ・ロイ 本橋哲也訳
多文化世界　青木　保
デモクラシーの帝国　藤原帰一
パレスチナ〔新版〕　広河隆一
人道的介入　最上敏樹
異文化理解　青木　保
ロシア市民　中村逸郎
ロシア経済事情　小川和男
南アフリカ「虹の国」への歩み　峯　陽一
ユーゴスラヴィア現代史　柴　宜弘
ビルマ「発展」のなかの人びと　田辺寿夫
東南アジアを知る　鶴見良行
獄中19年　徐　勝

モンゴルに暮らす　一ノ瀬恵
チェルノブイリ報告　広河隆一
イスラームの日常世界　片倉もとこ
サッチャー時代のイギリス　森嶋通夫
エビと日本人　村井吉敬
バナナと日本人　鶴見良行
韓国からの通信　T・K生 「世界」編集部編
現代支那論　尾崎秀実

岩波新書より

宗　教

初期仏教　ブッダの思想をたどる　馬場紀寿
内村鑑三　悲しみの使徒　若松英輔
パウロ　十字架の使徒　青野太潮
弘法大師空海と出会う　川﨑一洋
高野山　松長有慶
マルティン・ルター　徳善義和
教科書の中の宗教　藤原聖子
『教行信証』を読む　親鸞の世界へ　山折哲雄
国家神道と日本人　島薗進
聖書の読み方　大貫隆
寺よ、変われ　高橋卓志
親鸞をよむ　山折哲雄
日本宗教史　末木文美士
中世神話　山本ひろ子
法華経入門　菅野博史
イスラム教入門　中村廣治郎
ジャンヌ・ダルクと蓮如　大谷暢順
蓮如　五木寛之
キリスト教と笑い　宮田光雄
密教　松長有慶
仏教入門　三枝充悳
モーセ　浅野順一
イスラーム(回教)　蒲生礼一
背教者の系譜　武田清子
聖書入門　小塩力
イエスとその時代　荒井献
慰霊と招魂　村上重良
国家神道　村上重良
お経の話　渡辺照宏
日本の仏教　渡辺照宏
仏教〔第二版〕　渡辺照宏
チベット　多田等観
禅と日本文化　鈴木大拙　北川桃雄訳

心理・精神医学

モラルの起源　亀田達也
トラウマ　宮地尚子
自閉症スペクトラム障害　平岩幹男
自殺予防　高橋祥友
だます心　だまされる心　安斎育郎
痴呆を生きるということ　小澤勲
快適睡眠のすすめ　堀忠雄
精神病　笠原嘉
やさしさの精神病理　大平健
生涯発達の心理学　高橋惠子　波多野誼余夫
コンプレックス　河合隼雄

岩波新書/最新刊から

1831
5G 次世代移動通信規格の可能性
森川博之 著
その技術的特徴・潜在力は。私たちの生活や産業に何をもたらすか。米中の覇権争いの深層に何があるのか。さまざまな疑問に答える。

1832
「勤労青年」の教養文化史
福間良明 著
読書や勉学を通じて人格陶冶をめざすという若者たちの価値観は、いつ、なぜ消失したのか。格差と教養の複雑な力学を解明する。

1807
陸海の交錯 明朝の興亡
シリーズ 中国の歴史④
檀上寛 著
中華と夷狄の抗争、華北と江南の対立、草原と海洋の相克――三百年に及ぶ明の時代とは、混沌とした状況に対する解答であった。

1834
マックス・ヴェーバー ―主体的人間の悲喜劇―
今野元 著
数多くの名著で知られる知の巨人マックス・ヴェーバー(一八六四―一九二〇)。「伝記論的転回」をふまえた、決定版となる評伝。

1835
紫外線の社会史 ―見えざる光が照らす日本―
金凡性 著
人は見えざるモノに期待し、また恐怖を覚える。誰もが浴びる紫外線が近現代日本の社会・健康・美容・環境観の変遷を可視化する。

1833
ドキュメント **強権の経済政策** ―官僚たちのアベノミクス2―
軽部謙介 著
国家主導の賃上げに消費税の引上げ、為替介入をめぐる攻防。内部亀裂の走る財務省・日銀。「官邸一強」下の政策立案の内幕に迫る。

1836
リスクの正体 ―不安の時代を生き抜くために―
神里達博 著
新型コロナ、相次ぐ自然災害、巨大地震の恐怖……。リスク社会化に伴って生起する、さまざまな「不安」とどう向きあえばよいか。

別冊12
岩波新書解説総目録 1938-2019
岩波新書編集部 編
一九三八年の創刊以来、三四〇〇点余り刊行されてきた岩波新書。八〇年の歩みをたどる初めての総目録。刊行順に配列し解説を付す。

(2020.7)